Elle s'appelait
Anne Frank

Miep Gies

Elle s'appelait Anne Frank

L'histoire de la femme qui aida la famille Frank à se cacher

Avec la collaboration de
Alison Leslie Gold

Traduit de l'anglais par
Anne Damour

Calmann-Lévy

Titre original de l'ouvrage
ANNE FRANK REMEMBERED
The story of Miep Gies
who helped to hide the Frank family

ISBN 2-7021-1590-X

Imprimé en France

Remerciements de l'auteur

Qu'il me soit permis de remercier :

Jan Gies, qui est notre soutien aujourd'hui, comme il le fut alors, Pieter Van der Zwan pour son aide, Jacob de Vries pour son remarquable travail de photographe, Jacob Presser pour sa précieuse documentation, Jan Wiegel pour ses archives photographiques, Marian T. Brayton pour ses indications, Anne Frank Stichting, à Amsterdam et Anne Frank-Fonds / Cosmopress à Genève, pour leurs photos, reproductions et autorisations. Doubleday & Co., pour l'autorisation de reproduire l'extrait de Anne Frank : The Diary of a Young Girl *par Anne Frank, copyright 1952, par Otto H. Frank, Bob Bender pour l'intelligence de ses directives, Sharon H. Smith pour l'assistance qu'elle m'a bénévolement accordée, et Lily Mack pour l'inspiration qu'elle m'a prodiguée — malgré sa jeunesse saccagée par les nazis, elle a toujours su voir la beauté autour d'elle.*

L'éditeur remercie Philippe Noble, qui a bien voulu relire la traduction française et lui apporter de précieuses indications.

Lundi, 8 mai 1944

On dirait que Miep ne peut oublier
un instant ses protégés...

ANNE FRANK

Prologue

Je n'ai rien d'héroïque. Je ne suis que le maillon final de la longue, très longue chaîne de braves Hollandais qui ont fait ce que j'ai fait ou plus — beaucoup plus — en cette période sombre, terrible, à jamais présente dans le cœur de ceux d'entre nous qui en furent les témoins. Il n'est pas un jour où je ne songe à ce qui s'y passa.

Plus de vingt mille Hollandais ont aidé à cacher des Juifs et bien d'autres, obligés alors de se terrer. J'ai fait de mon mieux pour les aider. Mon mari aussi. Ce ne fut pas assez.

Il n'y a rien à dire de spécial à mon sujet. Je n'ai jamais désiré attirer l'attention. J'ai seulement voulu accomplir ce que l'on attendait de moi et ce qui semblait alors indispensable. Lorsque je fus déterminée à écrire ce que j'avais vécu, j'ai bien sûr pensé à la place que tient Anne Frank dans l'histoire, à ce que son expérience a représenté pour des millions de gens qui avaient connu le même destin. Je me suis dit que chaque soir, lorsque le soleil se couche, le rideau se lève quelque part sur une pièce de théâtre tirée du journal d'Anne. Si l'on considère les innombrables éditions de *Het Achterhuis* (« L'Annexe ») — publié en français sous le titre *Journal d'Anne Frank* — et les nombreuses autres traductions de l'histoire d'Anne, sa voix est entendue jusqu'aux extrémités de la terre.

D'après Alison Leslie Gold, qui m'a aidée à écrire ce livre, les gens seront touchés par mes souvenirs et l'évocation de ces tristes événements. De tous ceux qui les ont vécus, il ne reste que mon mari et moi. Je les rapporte tels qu'ils se présentent à ma mémoire.

Pour conserver l'esprit de la version originale du journal d'Anne, j'ai tenu à conserver certains des noms qu'elle avait inventés pour beaucoup des personnes concernées. Anne avait fabriqué une liste de pseudonymes que l'on a trouvée dans ses papiers. Apparemment, elle voulait camoufler l'identité de ceux qui l'entouraient, au cas où l'on publierait une partie de ses souvenirs de clandestinité, après la guerre. Par exemple, mon surnom, Miep, est si répandu en Hollande qu'Anne ne prit pas la peine de le changer. En revanche, Anne changea le nom de mon mari, Jan, en « Henk ». Et notre nom de famille, « Gies », devint « Van Santen ».

Lorsque le journal fut publié pour la première fois, M. Frank décida de conserver les noms utilisés par Anne pour tous ceux qui ne faisaient pas partie de sa propre famille, par respect pour leur vie privée. Pour cette même raison, et par souci de cohérence avec le journal d'Anne, j'ai fait comme elle en me servant des noms inventés par Anne, et en en imaginant pour des personnes qui ne sont pas mentionnées dans son journal. J'ai fait une seule exception importante en utilisant mon vrai nom, Gies. L'identité réelle de ces hommes et de ces femmes est soigneusement consignée dans les archives officielles des Pays-Bas.

Plus de cinquante ans ont passé et, dans bien des cas, les détails des faits rapportés dans ce livre sont en partie oubliés. Je me suis efforcée de reconstituer les conversations et les événements tels qu'ils sont restés dans ma mémoire. Réveiller ses souvenirs dans leur moindre détail demeure chose pénible, même avec la distance.

Mon histoire est celle de gens ordinaires en des temps qui furent extraordinairement durs. Des temps qui, je l'espère du fond de mon cœur, ne reviendront jamais plus. C'est à nous tous, gens ordinaires de par le monde entier, d'y veiller.

MIEP GIES

Les réfugiés

1.

En 1933, je vivais chez mes parents adoptifs, les Nieuwenhuisen, au numéro 25 de la Gaaspstraat, où je partageais une agréable petite chambre mansardée avec ma sœur adoptive, Catherina. C'était au sud d'Amsterdam, un endroit calme que l'on appelait le quartier des Rivières car les rues y portaient le nom des fleuves dont le cours inférieur traverse les Pays-Bas jusqu'à la mer, comme le Rhin, la Meuse, l'Escaut. En fait, l'Amstel passait pratiquement derrière la maison.

Ce quartier s'était édifié au cours des années 20 et au début des années 30, quand de grandes entreprises, férues de progrès social, avaient construit de vastes groupes d'immeubles pour leurs employés avec l'aide de prêts du gouvernement. Nous étions tous extrêmement fiers de ce traitement accordé à de simples travailleurs : logement confortable, installations sanitaires, jardins plantés d'arbres derrière chaque immeuble. D'autres bâtiments étaient construits par des sociétés privées.

A dire vrai, notre quartier n'était pas particulièrement calme. A toute heure, les enfants emplissaient l'air de leurs cris et de leurs rires, et leurs sifflements montaient vers les étages, lorsqu'ils appelaient leurs amis à se joindre à eux. On les voyait s'élancer par petits groupes vers la piscine de l'Amstelpark, bavarder allègrement sur le trajet de l'école. Tout comme leurs parents, les petits Hollandais apprenaient dès l'enfance à croire en l'amitié, et se montraient vite implacables lorsque l'on s'attaquait à l'un des leurs.

La Gaaspstraat se distinguait peu des autres rues, avec ses immeubles en brique brune aux toits pentus de couleur orange. Les fenêtres, toutes fleuries, avec leurs cadres de bois peints en blanc, étaient ornées de rideaux de dentelle aux motifs variés à l'infini.

L'arrière de notre immeuble était planté d'ormes. De l'autre côté se trouvait la pelouse d'un petit terrain de jeux, au fond duquel se dressait une église catholique dont les cloches ponctuaient la journée et faisaient s'envoler les oiseaux — moineaux, pigeons et mouettes.

Notre quartier était délimité à l'est par l'Amstel, sans cesse sillonné de bateaux, et au nord par le Zuideramstellaan, grand boulevard bordé de deux rangées de peupliers, qu'empruntait le tramway numéro 8. le Zuideramstellaan croisait la Scheldestraat, rue de l'Escaut, une des rues commerçantes voisines, où abondaient boutiques, cafés et étals toujours débordants de fleurs fraîches et colorées.

Amsterdam n'était pas ma ville natale. Je suis née à Vienne, en Autriche, en 1909. La Première Guerre mondiale éclata quand j'avais cinq ans. Nous, les enfants, nous n'en fûmes pas conscients, jusqu'au jour où nous entendîmes le bruit des troupes qui défilaient dans les rues. Je me souviens avoir éprouvé une grande excitation. Je me précipitai, toute seule, dans la rue. Partout, il y avait des gens, des uniformes, des canons. Je voulus en voir davantage et courus au milieu des soldats et des chevaux. Un artilleur me souleva dans ses bras et me ramena à la maison, tandis que je me tordais le cou pour mieux voir.

Vienne comportait beaucoup de vieux immeubles en piteux état, qui s'élevaient autour de cours centrales et se divisaient en nombreux appartements sombres dans lesquels s'entassaient des familles d'ouvriers. Nous habitions l'un d'eux. Ma mère était folle d'inquiétude lorsque le soldat me ramena à elle. « Il y a plein de militaires dans les rues, me dit-elle d'un ton grave. C'est dangereux. Il ne faut pas sortir. »

Je ne compris pas, mais j'obéis. Tout le monde se comportait bizarrement. Je me souviens mal de cette époque ; j'étais très jeune alors. Je me souviens seulement que deux de mes oncles, qui vivaient avec nous, durent partir à la guerre, et qu'on en parla beaucoup.

Les deux oncles revinrent sains et saufs. L'un d'eux se maria. L'autre alla également habiter ailleurs, si bien qu'à la fin de la guerre il n'y avait plus que mon père, ma mère, ma grand-mère et moi dans l'appartement.

Je n'étais pas de constitution robuste, et les sévères privations consécutives à la guerre avaient fait de moi une enfant chétive et malingre. De petite taille, il semblait que je m'affaiblissais au lieu de me développer normalement. J'avais des jambes comme des allumettes, des genoux osseux, des dents trop fragiles. Lorsque j'eus dix ans, mes parents eurent un autre enfant, une seconde fille, et il y eut encore moins à manger pour nous tous. Mon état empira, on prévint mes parents qu'il fallait faire quelque chose, s'ils ne voulaient pas me voir mourir.

Un programme avait été lancé par des organismes étrangers pour aider les petits Autrichiens sous-alimentés. Il fut donc décidé que je serais envoyée avec d'autres enfants d'ouvriers dans un pays lointain appelé les Pays-Bas, pour y être bien nourrie et remise sur pied.

C'était en décembre 1920. L'hiver est toujours rude à Vienne. Mes parents m'enveloppèrent dans tout ce qu'ils purent trouver comme vêtements et me conduisirent jusqu'à l'immense gare de Vienne. Là, nous attendîmes pendant des heures interminables durant lesquelles beaucoup d'autres enfants chétifs vinrent se joindre à nous. Les médecins m'auscultèrent, me palpèrent, examinèrent mon corps affaibli. Malgré mes onze ans, j'avais l'air d'une toute petite fille. Mes cheveux blond foncé, longs et fins, étaient retenus en arrière par un large ruban de coton fixé en un gros nœud bouffant. J'avais une carte accrochée autour du cou. Un nom bizarre y était imprimé, le nom de gens que je n'avais jamais vus.

Les wagons étaient bondés d'enfants comme moi, portant tous une carte autour du cou. Soudain, le visage de mes parents disparut de mon champ de vision. Le train avait commencé à s'ébranler. Nous étions apeurés, anxieux. Qu'allait-il advenir de nous ? Certains pleuraient. Pour la plupart, nous n'avions jamais quitté notre rue, encore moins Vienne. Trop faible pour observer davantage ce qui se passait autour de moi, je me laissai bercer par le mouvement régulier du train et m'endormis. Entre sommeil et veille, le voyage me sembla durer une éternité.

L'obscurité était totale quand le train s'arrêta en plein milieu de la nuit et qu'on nous réveilla brusquement pour nous faire descendre. L'écriteau le long du train encore fumant de vapeur indiquait LEYDE.

Des gens qui parlaient une langue étrangère nous conduisirent dans une grande pièce, haute de plafond. On nous fit asseoir côte à côte sur des chaises en bois. Toute une file d'enfants. Mes pieds ne touchaient pas le sol. J'avais terriblement sommeil.

En face de nous se pressait un groupe d'adultes. Soudain, ces hommes et ces femmes s'avancèrent vers nous et se mirent à manipuler nos cartes, cherchant à déchiffrer les noms qui s'y trouvaient inscrits. Sans défense, exténués par le voyage, nous n'opposâmes aucune résistance à ces formes indistinctes qui nous tripotaient de leurs mains maladroites.

Un homme, de taille moyenne, à l'apparence robuste, lut mon étiquette. « Ja », fit-il d'une voix ferme, et prenant ma main dans la sienne, il m'aida à descendre de ma chaise et m'entraîna dehors. Je n'avais pas peur. Je le suivis volontiers.

Nous marchâmes par les rues d'une ville, passant devant des maisons aux formes différentes de celles que je connaissais. La lune brillait, crémeuse, lumineuse. Il faisait clair. Il me tardait de voir où nous allions.

Je me rendis compte que nous nous éloignions de la ville. Les maisons étaient moins serrées ; il y avait des arbres. L'homme se mit à siffler, et cela me contraria. J'imaginai que c'était un fermier et qu'il appelait ainsi ses chiens. J'avais une peur épouvantable des gros chiens. L'angoisse me serra le cœur.

Mais nous continuâmes à marcher sans que le moindre chien vînt à notre rencontre et, soudain, d'autres maisons apparurent. Nous nous arrêtâmes devant une porte. Elle s'ouvrit. En haut des marches, une femme au visage anguleux adouci par un regard plein de bonté attendait devant nous. A l'intérieur, sur un palier, je vis plusieurs têtes d'enfants tournées dans ma direction. La femme me prit par la main, m'emmena dans une autre pièce et me donna un verre de lait mousseux. Puis elle me conduisit au premier étage.

Les enfants avaient disparu. La femme m'emmena dans une petite pièce. Il y avait deux lits. Une fille de mon âge dormait dans le premier. La femme m'ôta toutes mes épaisseurs de vêtements, dénoua le nœud de mes cheveux, et me coucha entre les draps de l'autre lit. Une bienheureuse chaleur m'enveloppa. Mes paupières se fermèrent. Je m'endormis immédiatement.

Je n'oublierai jamais ce voyage.

Le lendemain matin, la même femme entra dans la chambre, me vêtit d'habits propres, et me conduisit au rez-de-chaussée. A une grande table étaient assis l'homme robuste, la fille dont je partageais la chambre, et quatre garçons d'âges différents ; toutes les têtes qui s'étaient penchées vers moi, la veille, par-dessus la rampe de l'escalier étaient tournées dans ma direction.

Je ne compris rien à ce qu'ils racontaient et il ne comprirent rien de ce que je disais, jusqu'à ce que l'aîné des garçons, qui faisait des études pour devenir professeur, se mît à utiliser ses quelques rudiments d'allemand pour me traduire les choses élémentaires. Il devint mon interprète.

Malgré la barrière de la langue, tous les enfants se montrèrent très gentils avec moi. Dans l'état d'épuisement où je me trouvais, cette gentillesse compta énormément pour moi. Ce fut un remède aussi efficace que le pain, la confiture, le beurre et le fromage, le bon lait hollandais et la chaleur de la maison. Et les granulés de chocolat que l'on appelait des « grelons », et ces autres grains de chocolat, les « petites souris » dont ils m'apprirent à saupoudrer du pain généreusement beurré — délices que je n'avais jamais imaginées auparavant.

Après plusieurs semaines, je commençai à retrouver un peu de mes forces. Les enfants allaient tous à l'école, y compris l'aîné, mon interprète, et chacun décréta que le meilleur moyen d'apprendre le néerlandais était de fréquenter une école hollandaise. Le père me prit à nouveau par la main et me conduisit à l'école du quartier où il eut un long entretien avec le directeur. « Notre école lui est ouverte », dit ce dernier.

A Vienne, j'étais en cinquième, mais à Leyde on me mit en septième. Quand le directeur me fit entrer dans la classe, expliquant aux enfants qui j'étais, ils voulurent tous m'aider ; tant de mains se tendirent pour me guider que je ne savais laquelle prendre en premier. Ils m'avaient adoptée. Je me souviens d'une comptine où un petit enfant dans son berceau de bois est emporté par les flots et vogue sur des eaux démontées, prêt à sombrer, quand un chat bondit près de lui et garde l'esquif en équilibre en sautant d'un bord à l'autre, jusqu'à ce que l'enfant regagne le rivage, sain et sauf. J'étais cet enfant ; les écoliers hollandais furent les chats qui m'aidèrent à vivre.

Vers la fin janvier, je fus capable de comprendre et de parler quelques mots de hollandais.

Au printemps, j'étais la première de la classe.

Mon séjour en Hollande était prévu pour durer trois mois, mais j'étais encore un peu chétive à la fin de cette période, et les médecins conseillèrent une prolongation de trois mois, puis quatre. Très vite, la famille qui m'avait accueillie m'assimila. Ils en arrivèrent bientôt à me considérer comme l'une des leurs. Les garçons disaient : « Nous avons deux sœurs. »

L'homme que je m'étais mise à aimer comme un père adoptif était contremaître chez un marchand de charbon à Leyde. Bien qu'ils eussent cinq bouches à nourrir, cet homme et sa femme, certainement peu fortunés, décidèrent que lorsqu'il y en a pour sept, il y en a pour huit. Peu à peu ils remirent sur pied leur petite Viennoise sous-alimentée. Au début, ils m'appelèrent par mon prénom, Hermine, mais dès que la glace fut rompue entre nous, ils trouvèrent le nom trop formel et préférèrent me donner le petit nom hollandais de « Miep ».

Je m'adaptai rapidement à la vie à la hollandaise, à ce *Gezellig*, le bien-être qui en est la caractéristique. J'appris à monter à bicyclette, à beurrer mes tartines des deux côtés... Ces gens me donnèrent le goût de la musique classique, et il m'incombait de me tenir au courant de la politique et de lire le journal tous les soirs, pour pouvoir ensuite en discuter.

Il y eut une seule coutume à laquelle je ne pus jamais m'habituer. Lorsque l'hiver devint assez froid pour que l'eau des canaux se mît à geler, les Nieuwenhuisen m'entraînèrent avec d'autres enfants jusqu'au canal. L'atmosphère était à la fête : il y avait des étals où l'on vendait du chocolat chaud, du lait parfumé à l'anis. Des familles entières patinaient ensemble, à la queue leu leu, se balançaient en cadence, les bras passés autour d'une longue perche. L'horizon s'étendait, plat et lumineux, le soleil d'hiver rougeoyait. On fixa sur mes chaussures une paire de patins en bois munis de lames recourbées, et je me retrouvai sur la surface gelée. Devant mon affolement, les enfants m'apportèrent une chaise et me conseillèrent de la pousser devant moi. Mon effroi fut sans doute manifeste, car des patineurs m'aidèrent rapidement à regagner les berges du canal. Transie de froid, au bord des larmes, j'ôtai mes gants et me débattis comme une malheureuse pour délacer les lanières humides. Les doigts gourds, je crus que je n'y parviendrais jamais et, dans ma rage, je me promis de ne plus jamais m'approcher de la glace, où que ce fût. J'ai tenu cette promesse.

Lorsque j'eus treize ans, toute la famille déménagea pour Amsterdam, dans un quartier au sud de la ville où chaque rue portait un nom de rivière. Même si ce quartier se situait à l'extrême lisière de la ville, avec ses pâturages verts au bord de l'Amstel où l'on voyait paître des vaches noir et blanc, nous habitions tout de même en ville. Et j'aimais vivre en ville. J'aimais les tramways électriques d'Amsterdam, les canaux, les ponts et les écluses, les oiseaux, les chats, les magasins d'antiquités, les maisons à pignons sur les canaux, les salles de concert, les cinémas et les clubs politiques.

En 1925, les Nieuwenhuise m'emmenèrent voir mes parents à Vienne. J'avais seize ans, alors. Étonnée par la beauté de la ville, je me sentis pourtant étrangère parmi ces gens qui ne m'étaient plus familiers. Comme la visite approchait de sa fin, je sentis l'anxiété me serrer le cœur à la pensée de ne plus pouvoir repartir. Mais ma mère naturelle s'adressa sans détours à mes parents adoptifs. « Il est préférable qu' Hermine retourne à Amsterdam avec vous. Elle est devenue hollandaise. Je crains qu'elle ne soit pas heureuse si elle devait rester à Vienne. » Le nœud qui m'étreignait se dénoua, je me sentis soulagée.

Je n'aurais pas voulu blesser les sentiments de mes parents naturels ; j'étais encore jeune et j'avais besoin de leur consentement. Mais je désirais désespérément retourner aux Pays-Bas. Ma sensibilité et mes goûts étaient ceux d'une jeune fille hollandaise.

Dans les dernières années de mon adolescence, mon ardeur juvénile s'intériorisa. Je pris plus d'indépendance, je me mis à réfléchir, à lire des ouvrages de philosophie. J'étudiai Spinoza et Bergson, remplissant des carnets entiers de mes notes, consignant mes réflexions sur le papier. Tout cela dans le plus grand secret, pour moi seule. Je ressentais une envie profonde de comprendre la vie.

Puis, aussi brusquement qu'elle m'avait prise, la passion que je mettais à écrire mon journal intime me quitta. Je me sentis soudain embarrassée, timide, craignant que quelqu'un ne tombe sur ces réflexions trop personnelles. Dans un grand accès de nettoyage, je déchirai toutes mes notes et les jetai, abandonnant définitivement cette pratique. A dix-huit ans, j'arrêtai mes études pour travailler comme employée dans un bureau. Cette fois, tout en gardant mon caractère secret et indépendant, je recommençais à m'intéresser davantage au monde extérieur.

En 1931, à l'âge de vingt-deux ans, je retournai voir mes parents à Vienne. J'étais une femme adulte à présent et je voyageais seule. J'avais correspondu régulièrement avec eux et leur avais envoyé de l'argent dans la mesure de mes possibilités, depuis que je gagnais ma vie. Ce fut une visite agréable, mais personne ne mentionna l'éventualité de mon retour en Autriche. J'étais devenue hollandaise à part entière. La petite Viennoise sous-alimentée de onze ans avec son étiquette nouée autour du cou et son gros nœud dans les cheveux n'existait plus. J'étais aujourd'hui une jeune et robuste Hollandaise.

Personne, au cours de mes séjours à Vienne, ne songea jamais à faire modifier mon passeport, si bien que je gardai officiellement la nationalité autrichienne. Mais, lorsque je laissai mon père, ma mère et ma sœur en Autriche, je n'avais aucun doute sur mon identité. Je savais que je continuerais à écrire et à envoyer de l'argent régulièrement, que je viendrais périodiquement leur rendre visite et que je leur amènerais mes enfants quand le temps viendrait, mais que la Hollande serait à jamais ma patrie.

2.

En 1933, j'eus vingt-quatre ans. Ce fut une année difficile pour moi. Je restai sans travail pendant plusieurs mois, licenciée, en même temps qu'une autre employée, de la société de textiles dans laquelle j'avais obtenu ma première place comme dactylo. Les temps étaient durs et le chômage sévissait, en particulier chez les jeunes. Il était difficile de trouver un emploi, mais mon esprit d'indépendance s'accommodait mal de l'inactivité.

Nous habitions quelques étages au-dessus d'une vieille dame, Mme Blik, qui venait de temps en temps prendre le café avec ma mère adoptive. Mme Blik avait un travail assez inhabituel pour une femme, même s'il était courant pour les Hollandaises de travailler hors de chez elles. Représentante de commerce, elle s'absentait fréquemment toute la semaine, du lundi au samedi, pour aller présenter et vendre des produits pour la maison dans les fermes et dans des réunions de ménagères.

Chaque samedi, elle revenait avec sa mallette d'échantillons vide et passait ses commandes aux sociétés qui l'employaient. Un samedi, chez l'un de ses clients réguliers, elle entendit dire que l'une des employées du bureau était tombée malade et que l'on cherchait quelqu'un pour la remplacer temporairement.

L'après-midi même, à peine descendue du tramway, elle monta frapper à la porte de notre appartement. Ma mère adoptive me fit venir dans la cuisine et me parla avec enthousiasme de cette opportunité. Mme Blik me tendit une feuille de papier. « Allez-y lundi, à la première heure », dit-elle.

Je la remerciai, déjà tout excitée à l'idée d'affirmer mon indépendance en travaillant à nouveau... à condition de me présenter assez tôt et d'être engagée. Où se trouvaient les bureaux en question ? Je jetai un coup d'œil sur le billet. Pas même vingt minutes en bicyclette, pensai-je. Quinze, peut-être, en pédalant à ma manière — c'est-à-dire à toute vitesse. L'adresse était la suivante :

M. OTTO FRANK
120, 126, Nieuwe Zijds Voorburgwal

Tôt le lundi matin, pleine d'entrain, je descendis les marches du perron en portant ma lourde bicyclette noire d'occasion, attentive à ne pas froisser mon chemisier et ma jupe fraîchement lavés et repassés. J'étais fière de mes vêtements bien coupés, la plupart du temps faits à la maison par souci d'économie, mais peu différents des robes et tailleurs exposés dans les vitrines des boutiques en vogue. Je portais une coiffure à la mode également, un chignon lâche, dont certains de mes amis disaient en riant qu'il me faisait ressembler à l'actrice de cinéma Norma Shearer. J'étais petite, à peine un peu plus d'un mètre cinquante-trois, avec des yeux bleus, d'épais cheveux blond foncé. Je m'efforçais de compenser ma petite taille en portant des hauts talons.

Filant sur ma bicyclette vers le nord de la ville, je quittai rapidement notre paisible quartier. Je pédalai comme d'habitude, au risque de me rompre le cou, ma jupe flottant au vent, frayant sans peine mon chemin dans la foule des cyclistes qui se dirigeaient vers le Centre, le quartier des affaires d'Amsterdam.

Je lançai au passage un coup d'œil aux devantures étincelantes du grand magasin Bijenkorf, histoire de découvrir les derniers vêtements à la mode et traversai la grande place du Dam, pleine de monde et grouillante de pigeons, où se croisaient plusieurs lignes de tramways qui se dirigeaient vers la gare centrale. Puis je contournai à toute allure le Palais-Royal et l'ancienne Nieuwe Kerk — « la Nouvelle Église » — où nul n'avait été couronné depuis la reine Wilhelmine, en 1890. J'arrivai enfin sur le Nieuwe Zijds Voorburgwal.

Le Nieuwe Zijds Voorburgwal, rue sinueuse parcourue par les tramways et un flot incessant de travailleurs, était bordé de maisons à pignons, datant pour la plupart du XVIIe et du XVIIIe siècle. Quand je fus en vue de l'immeuble, je descendis de bicyclette et parcourus les derniers mètres à pied.

La bâtiment qui se dressait devant moi était le plus moderne de la rue, presque un gratte-ciel. L'entrée de pierre beige était ornée d'un auvent en demi-lune ; les neuf étages de la façade, toute de verre rythmée de bandeaux de pierre brune, s'élançaient vers le ciel nuageux. Le nom de cet édifice singulier était inscrit en lettres noires au rez-de-chaussée : GEBOUW CANDIDA (Immeuble Candida). Je rangeai ma bicyclette dans le râtelier à vélos et me recoiffai.

La société Travies et Cie occupait deux petites pièces. Un garçon d'environ seize ans, brun, le visage agréable, me fit entrer. Il portait des vêtements de travail et était en train de déballer et de trier des marchandises dans ce qui me sembla être le coin réservé aux expéditions. La première pièce, meublée d'un bureau en bois avec une machine à écrire noire et un téléphone de la même couleur, n'était pas très gaie. Le garçon me dit s'appeler Willem. Il était chargé de l'emballage des paquets et des livraisons. Je le trouvai tout de suite gentil, mais avant que j'aie pu l'observer davantage, une voix douce, à l'accent prononcé, me pria d'entrer dans la seconde pièce.

Grand, svelte et souriant, mon interlocuteur se présenta avec une amabilité pleine de retenue et entama les préliminaires habituels d'un entretien d'embauche. Ses yeux noirs soutenaient mon regard, et je perçus immédiatement sa gentillesse sous son attitude un peu timide et inquiète. Pour m'accueillir, il s'était avancé devant son bureau bien rangé. Il y en avait deux dans la pièce. Il s'excusa de parler hollandais incorrectement, expliquant qu'il était arrivé très récemment de Francfort — si récemment, en vérité, que sa femme et ses enfants ne l'avaient pas encore rejoint.

C'est avec plaisir que je me mis à parler allemand pour lui faciliter la conversation. Un éclair de gratitude brilla dans ses yeux. Il portait une moustache et son sourire révélait des dents inégales. Je lui donnais une quarantaine d'années. Il s'appelait Otto Frank.

Je dus lui faire bon effet, car il me dit : « Avant de commencer, il faut que vous m'accompagniez à la cuisine. » Mes joues s'empourprèrent. Étais-je embauchée ? Je n'avais pas la moindre idée de ce qu'il voulait faire dans la cuisine. Peut-être une tasse de café ? Je le suivis néanmoins. Il me présenta en passant à une autre personne, M. Kraler, qui partageait son bureau. J'appris par la suite que Victor Kraler, comme moi, était né en Autriche.

Dans la cuisine, je regardai M. Frank rassembler des sacs remplis de fruits, du sucre enveloppé dans du papier, et des sachets d'ingrédients divers, tout en l'écoutant parler d'un ton posé. J'appris que le siège de la société Travies et Cie se trouvait en Allemagne, à Cologne. La société était spécialisée dans les produits alimentaires de base destinés aux ménagères. C'était l'un de ces produits, la pectine, que M. Frank était venu lancer sur le marché hollandais. Elle était tirée des pommes — des « trognons », dit M. Frank en riant — et M. Frank l'importait d'Allemagne. Mélangée à du sucre, des fruits frais et d'autres ingrédients, elle permettait de faire des confitures maison en dix minutes.

Il me tendit une feuille de papier. « Voilà la recette, dit-il. Allez-y. Faites-moi une confiture ! » Et il me tourna le dos, me laissant seule dans la cuisine. Je me retrouvais brusquement en terrain instable. Comment M. Frank aurait-il pu savoir que j'habitais encore chez mes parents adoptifs et que je n'y connaissais pas grand-chose en matière de cuisine ? Je savais préparer un excellent café, soit, mais de la confiture ? Je fis taire mon inquiétude, et parcourus la recette. Le procédé était peu habituel. Mais rien ne m'arrêtait lorsque j'avais pris une décision. Je me concentrai et suivis à la lettre les instructions.

Je fis de la confiture.

Pendant les deux semaines qui suivirent, je passai mon temps dans la petite cuisine à faire des pots de confiture. Chaque jour, M. Frank déposait un sac plein de fruits sur le comptoir. Chaque fruit avait sa propre formule. Je ne mis pas longtemps à attraper le tour de main et, en trois ou quatre jours, je devins une sorte d'experte en confitures. Elles étaient toujours parfaites : jolie couleur, bonne consistance, riche saveur. Les pots s'empilèrent.

M. Frank nous suggéra, à Willem et à moi, d'emporter les confitures chez nous, pour en faire profiter nos familles. Il n'en prit pas pour lui. Il vivait seul dans un petit hôtel du Centre, et comptait y rester jusqu'à ce que sa famille pût venir le rejoindre à Amsterdam. M. Frank me dit peu de chose de sa famille, sinon qu'ils vivaient tous avec la mère de sa femme à Aix-la-Chapelle, en Allemagne, près de la frontière sud-est de la Hollande. Sa femme se prénommait Edith ; il avait deux petites filles, Margot Betti l'aînée, et Annelise Marie, la plus petite, qu'il appelait Anne. Sa vieille mère et d'autres membres de sa famille vivaient en Suisse, à Bâle.

Je devinai qu'il se sentait seul, que sa famille lui manquait. Naturellement, je n'en dis rien. C'était un sujet trop personnel.

Je l'appelai M. Frank, et il m'appela Mlle Santrouschitz. Du moins au début. Mais je me sentis rapidement très à l'aise avec lui, et le priai de m'appeler par mon prénom.

Nous nous découvrîmes bientôt une chose en commun, une passion réciproque pour la politique. Nous étions du même bord. Bien qu'on m'eût toujours appris à me garder de la haine, je réprouvais le fanatisme d'Adolf Hitler, qui venait de prendre le pouvoir en Allemagne. A cause de ses origines juives, M. Frank se sentait encore plus concerné. C'était la politique antisémite d'Hitler qui l'avait forcé à quitter l'Allemagne.

Même si la campagne antijuive en Allemagne semblait terminée, elle m'avait profondément heurtée. Je n'avais jamais attaché d'importance au fait que l'on fût juif ou non. A Amsterdam, les Juifs étaient tellement intégrés à la vie même de la ville, que nous n'éprouvions rien de particulier à leur égard. Il était purement et simplement inique de la part d'Hitler d'instituer des lois spéciales pour eux. Heureusement, M. Frank s'était refugié en Hollande, et sa famille se trouverait bientôt en sécurité auprès de lui. Au cours de nos petites conversations en allemand, nous convînmes qu'il était préférable de quitter définitivement l'Allemagne d'Hitler, et de venir se mettre sous la protection de notre patrie d'adoption, la Hollande.

Les jours passèrent. Nous n'avions aucune nouvelle de la jeune fille malade que je remplaçais. Un matin, vers la fin de ma seconde semaine à la cuisine, M. Frank arriva au bureau sans apporter de fruits. Il passa la tête par la porte et me fit signe d'ôter mon tablier.

« Venez, Miep ! » dit-il, et il me précéda dans la pièce de devant.

Il me désigna le bureau près de la fenêtre et expliqua, « Votre place sera ici désormais. C'est ce que j'appelle le Bureau des renseignements et réclamations. Vous apprendrez vite pourquoi. »

Je m'installai dans le coin de la pièce, d'où je pouvais apercevoir le spectacle animé de la rue. Je ne fus pas longue à comprendre le sens de ma fonction. Maintenant que la fabrication des confitures n'avait plus de secret pour moi, je devenais responsable des rapports avec notre clientèle de ménagères.

Nous vendions, pour la fabrication des confitures, des enveloppes contenant chacune quatre paquets de pectine. Des recettes étaient inscrites au dos de chaque paquet. A l'intérieur, se trouvaient également des étiquettes orange et bleu et des carrés de cellophane que l'on humectait avant de les fixer à l'aide d'un élastique sur les pots. Notre représentante, Mme Blik, distribuait notre produit dans toute la Hollande, et nous vendions nos « nécessaires à confitures » directement dans les boutiques et les épiceries.

Beaucoup de ménagères commençaient à utiliser notre procédé, mais il leur arrivait fréquemment de ne pas suivre les instructions à la lettre. Habituées à ajouter un zeste d'invention à tout ce qu'elles fabriquaient à la maison, elles innovaient, ajoutant un peu plus de ceci, et mettant un peu moins de cela. Et soudain leurs confitures se transformaient en blocs compacts ou en désastres dégoulinants.

Les ménagères hollandaises sont économes, à la fois par nécessité et par principe. On ne jette pas l'argent par la fenêtre, aux Pays-Bas, et on y a horreur du gaspillage. Si bien que ces femmes, furieuses d'avoir fait une dépense inutile, nous téléphonaient pour nous dire que notre produit ne valait rien. J'étais chargée de les écouter poliment, de deviner les erreurs qu'elles avaient commises et comment elles étaient parvenues à rater leurs confitures. Je m'efforçais de les apaiser, les priant de décrire le résultat de leur fabrication, et à partir de la nature de la catastrophe, je parvenais à leur démontrer en quoi elles s'étaient trompées. Puis je leur expliquais comment s'y prendre pour réussir. Travies et Compagnie y gagnait une clientèle satisfaite et fidèle.

M. Kraler partageait mon bureau. Il avait trente-trois ans. C'était un homme de forte corpulence, aux cheveux noirs, l'air aimable, méticuleux. Il ne plaisantait jamais. Il arrivait au bureau, s'occupait de ses affaires, toujours poli, presque cérémonieux, envoyait le jeune Willem faire les livraisons et supervisait son travail. Il n'avait pour ainsi dire rien à voir avec moi. Je dépendais essentiellement de M. Frank, et j'en étais très contente.

M. Frank fut sans doute satisfait de moi, car il commença rapidement à me confier quelques tâches supplémentaires, comme la comptabilité et la dactylographie. Les affaires progressaient lentement mais sûrement, grâce aux innovations de M. Frank et au talent de vendeuse de Mme Blik.

Un jour, M. Frank m'annonça, d'un air heureux, qu'il venait de louer un appartement dans mon quartier, dans le sud d'Amsterdam, où de nombreux réfugiés allemands commençaient depuis peu à s'installer. Enfin, sa famille était arrivée d'Allemagne ! Le bonheur se lisait sur son visage.

Peu après, M. Frank m'annonça que Mlle Heel, l'employée que je remplaçais, était rétablie et qu'elle allait reprendre sa place. Ça devait arriver, pensai-je, en m'efforçant de ne pas manifester ma déception.

« Mais, ajouta-t-il, nous serions très contents de vous engager définitivement. Voulez-vous rester avec nous, Miep ? »

Si je le voulais !

« Les affaires marchent bien, expliqua-t-il. Il y aura suffisamment de travail pour vous et Mlle Heel. Nous allons dès maintenant vous trouver un autre bureau et du matériel. »

Un matin, M. Frank demanda s'il restait du café et du lait dans la cuisine. J'en déduisis que nous allions recevoir un client. J'étais plongée dans mon travail lorsque j'entendis s'ouvrir la porte d'entrée. Je levai la tête. Une femme au visage rond, ses cheveux bruns retenus en chignon, entra. Elle était vêtue avec soin et discrétion, et avait une trentaine d'années. A côté d'elle se tenait une toute petite fille brune, emmitouflée dans un manteau de fourrure blanc.

M. Frank avait sûrement entendu la porte s'ouvrir, car il s'avança à grands pas pour accueillir les visiteuses. « Miep, dit-il en allemand, j'aimerais vous présenter ma femme, Edith Frank-Hollander. Edith, voici Mlle Santrouschitz. » Mme Frank me salua d'une façon qui révélait ses origines à la fois fortunées et raffinées, avec une simplicité pleine de retenue. Puis M. Frank ajouta d'une voix tendre : « Et voici ma plus jeune fille, Anne. »

L'enfant au manteau duveteux leva les yeux vers moi et fit une révérence. « Il faudra lui parler en allemand, expliqua M. Frank. Je crains qu'elle ne sache pas un mot de néerlandais. Elle n'a que quatre ans. »

Intimidée, la petite Anne se serrait contre sa mère. Mais ses grands yeux sombres, vifs et brillants, qui dévoraient son visage délicat, buvaient littéralement tout ce qu'ils voyaient autour d'elle. « Je m'appelle Miep, leur dis-je à toutes les deux. Je vais chercher du café. » Et je me précipitai dans la cuisine pour préparer un plateau.

Lorsque je revins dans le bureau, M. Frank avait entraîné sa femme et sa fille pour leur présenter M. Kraler et Willem. Anne n'avait d'yeux que pour Willem, et pour tous les objets qui se trouvaient dans la pièce. Bien qu'elle parût encore un peu effarouchée, elle m'adressa un sourire et s'anima, s'intéressant à des choses qui nous semblaient, à nous adultes, dénuées d'intérêt et banales : cartons d'expédition, papier d'emballage, ficelle, classeurs.

Anne but un verre de lait tandis que son père et sa mère prenaient leur café dans le bureau privé de M. Frank. Je l'emmenai dans mon bureau. Elle regarda avec fascination ma machine à écrire noire. Je pressai ses petits doigts sur les touches. Ses yeux s'illuminèrent en voyant les touches s'enfoncer et des lettres noires s'imprimer sur le papier. J'attirai alors son attention vers la fenêtre — c'était le genre de spectacle qui, à mon avis, devait intéresser un petit enfant. Je ne m'étais pas trompée. Tout l'amusa : les tramways, les bicyclettes, les passants.

En regardant Anne, je songeai : voilà, c'est le genre d'enfant que j'aimerais avoir un jour. Sage, obéissante, curieuse de tout. Elle termina son verre de lait et se tourna vers moi. Elle n'eut pas besoin d'ouvrir la bouche ; ses yeux parlaient pour elle. Je pris le verre vide et le remplis à nouveau.

Nos clientes se montrèrent peu à peu plus habiles à suivre les recettes et à fabriquer leurs confitures, et la partie renseignements et réclamations de mon travail prit de moins en moins d'importance. Parallèlement, mes responsabilités dans le domaine de la comptabilité, du courrier et de la facturation augmentaient à mesure que se développait l'affaire. Willem était un camarade de bureau agréable, une sorte de jeune frère. Nous nous entendions très bien.

Tous les matins, je partais à bicyclette pour le bureau en emportant mon déjeuner. Je passais devant l'école Montessori où M. Frank avait inscrit la petite Anne et son autre fille, Margot, de deux ans plus âgée. C'était un bâtiment moderne en briques ; le trottoir était toujours rempli d'enfants qui riaient et couraient. Les Frank s'étaient installés dans un grand immeuble en briques du quartier des Rivières, dans une rue qui donnait place de la Merwede, à peut-être trois ou quatre rues au nord-est de la mienne.

Chaque jour, davantage de réfugiés allemands venaient s'installer dans notre quartier, des Juifs pour la plupart, tant et si bien que la dernière plaisanterie au goût du jour était de dire que dans le tramway numéro 8, « le contrôleur parle aussi le néerlandais ». Nombre d'entre eux étaient plus riches que les ouvriers hollandais du quartier, et ils firent sensation lorsqu'ils apparurent en manteaux de fourrure et autres beaux atours.

J'ai toujours adoré la vitesse. Je filais donc comme le vent sur ma vieille bicyclette, pour arriver à mon travail à huit heures trente précises, avant M. Frank, M. Kraler, ou même Willem. En premier lieu, je préparais le café pour nous tous. Chaque matin, c'était la tâche qui m'incombait. Je prenais plaisir à faire un bon café bien fort et à me soucier que chacun en eût assez. Nous nous sentions tous d'attaque, après le café.

Un matin, on livra un nouveau bureau en face du mien. Peu après, apparut une jeune fille de mon âge, d'allure ordinaire, blonde, un peu boulotte, qui réclama son bureau. Je pris l'autre. C'était Mlle Heel, l'employée dont la maladie s'était si longtemps prolongée. Nous fûmes trois désormais à partager la pièce de devant, Willem, Mlle Heel, et moi.

Mlle Heel et moi avions peu d'atomes crochus. Nous parlâmes de choses et d'autres, et Mlle Heel commença à discourir sur tout. Musique, comptabilité, elle voulait toujours avoir le dernier mot. C'était Mademoiselle-je-sais-tout, si jamais il en fût une.

Elle se mit aussi à nous entretenir d'un nouveau mouvement politique auquel elle avait adhéré, le N.S.B., version hollandaise du national-socialisme hitlérien. Un parti nazi venait brusquement de se constituer en

Hollande. Plus elle nous exposait sa doctrine, qui comportait des opinions racistes sur les Juifs, plus elle m'exaspérait.

Finalement, je ne pus tenir ma langue. « Écoutez, lui dis-je en la regardant droit dans les yeux, savez-vous que notre patron, M. Frank, est juif lui aussi ? »

Elle hocha la tête et répondit de son air arrogant : « Oh, bien sûr, je le sais. Mais M. Frank est quelqu'un de bien. »

Je répliquai vivement : « Ainsi, selon vous, les chrétiens sont *tous* des gens bien ? »

Mon sarcasme la fit taire et elle me gratifia d'un haussement d'épaules dédaigneux. Nous ne parlâmes plus, et l'atmosphère autrefois douillette du bureau devint tendue, froide. Dorénavant, nous nous gardâmes de parler politique devant elle. Je me demandais ce que M. Frank pensait de ses relations non dissimulées avec les nazis, et s'il allait la renvoyer. Une attente angoissée régna sur le bureau, comme si nous craignions qu'une tuile nous tombe sur la tête.

Mais il n'y avait pas que le travail dans mon existence. Ma vie sociale était à cette époque très intense. J'adorais danser et, comme beaucoup de jeunes Hollandaises, je fréquentais un club de danse. Je fus l'une des premières à Amsterdam à apprendre le charleston, le one-step, le tango, et le fox-trot. Mon club se trouvait Stadhouderskade. Une fois par semaine, nous allions nous exercer entre amies, sous la direction d'un professeur et d'un pianiste.

Le samedi et le dimanche, les soirées dansantes étaient gratuites au club. A cette époque, nous dansions sur des airs tels que *When you wore a tulip, My blue heaven,* et *I can't give you anything but love, baby.* Je dansais avec un tel entrain, j'aimais tellement ça, que je ne faisais jamais tapisserie. On aurait dit que les jeunes gens me tendaient toujours leurs bras pour m'inviter à danser et me raccompagner ensuite à la maison.

Je sortais avec plusieurs jeunes gens séduisants, dont un Hollandais plus âgé que moi de quelques années, très grand, élégant, extrêmement attirant. Il s'appelait Jan Gies. Je l'avais rencontré quelques années auparavant, dans la société de textiles où je travaillais. J'y étais employée de bureau et lui comptable. Nous nous étions liés d'amitié à cette époque et, bien que nous soyons partis chacun de son côté — moi pour entrer à la Travies et Cie, Jan pour travailler au Bureau d'aide sociale de la ville d'Amsterdam — nous ne nous étions pas perdus de vue. A mes yeux, Jan était irrésistible avec son épaisse chevelure d'un blond flamboyant, son regard chaleureux et plein de vie.

Jan, lui aussi, habitait dans le quartier des Rivières. En fait, il avait grandi dans le vieil Amsterdam du sud, au bord de l'Amstel, quand il y avait encore des fermes et des pâturages. A présent, il avait une chambre chez des particuliers dans la Rijnstraat. C'était une rue commerçante, pleine de magasins, bordée d'ormes au feuillage dense et sombre.

Grâce aux innovations de M. Frank, la Travies continuait à se développer. M. Frank faisait des progrès rapides en néerlandais et nous passions de longues heures à nous creuser la cervelle pour trouver des annonces publicitaires vantant notre produit, que je plaçais ensuite dans les magazines lus par les maîtresses de maison et les ménagères.

M. Kraler se montrait plus critique à mon égard que M. Frank. Pointilleux, l'air toujours sévère, ses cheveux noirs invariablement bien coiffés, il aimait que les choses fussent faites comme il l'entendait. M. Frank me demanda, un jour, de répondre à une lettre. Ma réponse tapée, je la montrai à M. Frank qui l'approuva. Kraler voulut y jeter un coup d'œil, mais, contrairement à M. Frank, il déclara que le ton ne convenait pas.

Je retins ma langue. Il n'allait pas m'apprendre à écrire une lettre. Ce que M. Kraler ne voulait pas reconnaître, c'est que, étant une femme, je savais qu'on ne s'adresse pas à un homme d'affaires comme à une maîtresse de maison. Marié, sans enfant, il avait gardé une conception très vieux jeu des convenances dans le travail. M. Frank possédait un sens des affaires beaucoup plus moderne et novateur. Toutefois, mis à part son conservatisme, M. Kraler n'était pas quelqu'un de désagréable. Il se montrait juste à l'égard des employés et exigeait beaucoup de lui-même.

Pendant plusieurs jours, Mlle Heel ne vint pas travailler. Elle envoya un message à M. Kraler, aussitôt suivi d'une lettre de son médecin qui déclarait : « Suite à des troubles psychologiques, Mlle Heel n'est pas en mesure d'accomplir le travail qui lui est demandé à la Travies et Cie. » Nous attendîmes la suite, puis voyant qu'il ne se produisait rien d'autre, nous supposâmes que nous ne la reverrions plus. M. Frank annonça en riant : « Bon, nous voilà débarrassés d'une nazie. »

Aucun d'entre nous ne chercha jamais à avoir des nouvelles de sa santé. Nous espérions en être quittes une fois pour toutes.

En 1937, la Travies déménagea et alla s'installer au numéro 400 du Singel. La société occupait plusieurs étages d'une vieille maison à pignon qui donnait sur le canal, avec un atelier au rez-de-chaussée. Nos nouveaux locaux se situaient à deux pas du joli marché flottant du Singel, l'un des plus beaux canaux du centre d'Amsterdam. Non loin de là, à mon grand plaisir, se trouvaient la Leidsestraat, une rue commerçante très chic, et le Spui, toujours bondé d'étudiants qui venaient bouquiner dans les nombreuses librairies ; il y avait aussi la Kalverstraat, une autre rue commerçante. Même si mon modeste salaire ne me permettait aucun achat déraisonnable, il ne me coûtait rien de faire du lèche-vitrine dans les boutiques de mode. Je n'aimais rien autant que de flâner après déjeuner, par une journée ensoleillée, en admirant les robes dans les devantures.

Parfois Jan Gies m'emmenait faire un tour à l'heure du déjeuner. C'est ainsi que M. Frank l'avait rencontré à plusieurs reprises, et s'était rendu compte de mon attachement pour lui. Les deux hommes avaient la même stature, la même silhouette élancée, mais Jan était un peu plus grand, et les vagues abondantes de ses cheveux blonds ornaient son front, tandis que les cheveux de M. Frank étaient bruns et clairsemés. Ils avaient aussi le même genre de caractère : c'étaient des hommes de principes, peu bavards, avec un sens aigu de l'humour.

Un jour, M. Frank m'invita à venir dîner chez lui. « Et amenez M. Gies avec vous », ajouta-t-il. J'acceptai, flattée d'être invitée chez mon patron et de partager un repas familial.

La bienséance demandait d'arriver à l'heure — six heures du soir — et de partir relativement tôt après le repas, en prenant soin de ne pas s'attarder trop longtemps une fois sortis de table. Jan et moi arrivâmes chez les Frank à six heures pile.

Bien qu'il nous reçût en veste et cravate, M. Frank semblait plus détendu dans l'intimité de son foyer. Mme Frank nous accueillit avec sa réserve habituelle. Ses cheveux d'un noir brillant étaient séparés au milieu et retenus en un chignon lâche derrière la nuque. Elle avait des yeux sombres, un visage plein aux joues rebondies, et un grand front. Quelques kilos de trop donnaient à son corps un aspect vigoureux et maternel. Malgré ses progrès en néerlandais, elle avait encore un fort accent, plus prononcé que celui de son mari. Jan parlant couramment allemand, la conversation se déroula dans la langue maternelle des Frank. Je me souvins combien le néerlandais m'avait paru difficile au début, il y a des années. Ça l'était sûrement encore plus pour les Frank, à ce moment de leur vie.

Mme Frank avait le mal du pays, beaucoup plus que son mari. Très souvent dans la conversation elle fit allusion avec mélancolie à leur vie à Francfort, soulignant la saveur de certaines friandises, la qualité des vêtements allemands. Sa vieille mère, Mme Hollander, les avait suivis à Amsterdam, mais sa santé fragile l'obligeait à garder le lit pendant une grande partie du temps.

Les meubles de l'appartement venaient de la maison familiale de Francfort. La plupart étaient anciens, en bois sombre, reluisant ; il y avait plusieurs pièces remarquables. J'admirai en particulier un élégant secrétaire de style français du XIXe siècle, placé entre deux fenêtres. Mme Frank mentionna qu'il avait fait partie de sa dot. Une grande horloge battait doucement dans le fond de la pièce. C'était une horloge d'Ackerman, fabriquée à Francfort. M. Frank nous précisa qu'elle donnait l'heure exacte, à condition de la remonter toutes les trois ou quatre semaines.

Mon œil fut attiré par un superbe dessin au fusain accroché au mur dans un joli cadre, représentant une belle chatte avec deux chatons à ses côtés. La mère avait l'air serein, et les petits tétaient, blottis contre sa fourrure. Les Frank adoraient les chats. Et de fait, un chat à l'air amical traversa la pièce d'un pas tranquille et majestueux, comme s'il était propriétaire des lieux. M. Frank expliqua qu'il appartenait à ses filles. Partout se manifestaient les signes de la présence d'enfants : dessins, jouets, etc.

La guerre civile espagnole avait beaucoup occupé nos esprits ces derniers temps. L'Espagne fasciste du général Franco avait presque complètement brisé l'armée de volontaires venus de nombreux pays d'Europe, d'Amérique et même d'Australie. Hitler et le leader fasciste italien, Mussolini, ne faisaient pas mystère de leur soutien et de leur assistance à Franco. Animés d'opinions violemment antifascistes, nous discutâmes des dernières nouvelles d'Espagne, déçus dans nos espoirs, car il semblait que la résistance venait d'être écrasée.

Nous étions déjà assis autour de la table lorsque l'on fit venir Anne et Margot. Anne arriva en courant. Elle avait maintenant huit ans. Elle était toujours un peu gracile, avec de grands yeux gris-vert pétillants, pointillés de vert, si profondément enfoncés qu'on aurait dit qu'une ombre les enveloppait lorsqu'elle baissait les paupières. Elle avait le nez de sa mère et la bouche de son père, mais avec un menton légèrement proéminent et fendu d'une fossette au milieu.

Nous rencontrions Margot pour la première fois. Elle entra dans la pièce et s'assit. C'était une très jolie fillette de dix ans, avec les mêmes cheveux noirs et brillants que sa sœur. Les deux enfants avaient les cheveux coupés court, juste au-dessus des oreilles, avec une raie sur le côté, et retenus par une barrette. Margot avait les yeux noirs. Elle resta timide et silencieuse en notre présence, et parfaitement bien élevée, tout comme l'était la petite Anne. Son sourire la rendait encore plus jolie. Les deux fillettes parlaient couramment le néerlandais.

Margot semblait être la préférée de sa mère, et Anne celle de son père.

L'une et l'autre avaient eu des problèmes de santé au cours de l'année. Des maladies infantiles répétées, comme la rougeole, les avaient contraintes à manquer plusieurs jours de classe. Mais je fus heureuse de constater que cela ne les empêchait pas de montrer un solide appétit.

A la fin du repas, elles dirent bonsoir et regagnèrent leurs chambres pour faire leurs devoirs. Au moment où elle quittait la pièce, je remarquai les jambes maigrelettes d'Anne, ses petits pieds chaussés de ballerines et de socquettes blanches qui lui retombaient sur les chevilles d'une façon à la fois attendrissante et comique. Une vague de tendresse monta en moi. Je retins un sourire et le désir d'aller vers elle et de remonter ses socquettes.

Nous continuâmes pendant quelques instants à bavarder avec les Frank, et après avoir bu une deuxième tasse de café, nous remerciâmes nos hôtes et les quittâmes rapidement.

Nous eûmes par la suite plusieurs fois l'occasion d'être invités à dîner chez les Frank. Peu à peu, j'en appris davantage à leur sujet ; Mme Frank aimait à évoquer le passé, à raconter son enfance heureuse à Aix-la-Chapelle, son mariage avec M. Frank en 1925, puis leur vie à Francfort où M. Frank avait grandi. Sa famille appartenait depuis le XVIIe siècle au milieu raffiné des Juifs de la banque et des affaires. Il avait reçu une instruction remarquable, et avait été décoré pour son courage pendant la Première Guerre mondiale, où sa participation aux combats lui avait valu d'être élevé au grade de lieutenant.

A Francfort, après la guerre, M. Frank était entré dans les affaires. Sa sœur s'était installée en Suisse, à Bâle. Son mari travaillait pour une société dont le siège se trouvait à Cologne, avec une succursale à Amsterdam. C'était la Travies et Cie, spécialisée dans les produits alimentaires. Lorsque M. Frank voulut quitter l'Allemagne, son beau-frère suggéra qu'on lui confiât le développement de la branche hollandaise. C'est ainsi que la

Travies connut un essor qui se révéla bénéfique autant pour la société que pour M. Frank.

3.

Jan Gies et moi passions beaucoup de temps ensemble. Nous découvrions peu à peu que nous avions de nombreux goûts communs, comme la musique de Mozart, par exemple, dont nous aimions tant le concerto pour flûte et harpe.

Lorsque nous nous promenions, il m'arrivait de surprendre une lueur d'admiration dans les yeux des passants. Nous mettions un point d'honneur à être bien habillés. Jan était toujours très élégant. Je ne l'ai jamais vu sans cravate. Ses yeux bleus étincelaient de vie. Nous éprouvions l'un pour l'autre une grande attraction qui n'échappait pas au regard d'autrui.

Nous allions souvent au cinéma. Nous prîmes l'habitude de passer nos samedis soir au Tip Top, dans le vieux quartier juif. On y projetait des films américains, anglais et allemands, ainsi que les actualités et un passionnant feuilleton à suspense.

Comme tous les jeunes couples hollandais, nous faisions des sorties à bicyclette. Sur une seule bicyclette, à vrai dire. Jan pédalait, et je me tenais en amazone derrière lui, les bras passés autour de sa taille, ma jupe claquant dans le vent.

Dès qu'il faisait beau, les Amsterdamois enfourchaient leurs robustes vélos noirs. Parfois, des familles entières tenaient sur une bicyclette ou deux. Si les enfants étaient trop petits pour pédaler, on en plaçait un sur le porte-bagage arrière, un second à l'avant. Deux parents pouvaient ainsi transporter une famille de quatre enfants. Dès qu'ils étaient assez grands, les enfants avaient leur propre bicyclette d'occasion. On les voyait alors pédaler par les rues pavées, sur les ponts, le long des canaux, à la queue leu leu derrière leurs parents, comme des petits canards.

Jan Gies et moi adorions le marché du dimanche dans le vieux quartier juif, à proximité de l'imposante synagogue portugaise, de l'autre côté de l'Amstel. Les habitants d'Amsterdam aimaient se rendre dans ce quartier pittoresque dont de nombreuses maisons avaient été construites au XVIIe, XVIIIe et XIXe siècle. Ils aimaient se promener dans le grand marché en plein air, dont le spectacle animé et coloré était une joie pour les yeux, acheter de savoureuses spécialités et faire de bonnes affaires. Ma famille adoptive m'y avait souvent emmenée, le dimanche matin, et Jan s'y rendait lorsqu'il était plus jeune, si bien que nous avions l'impression d'être des habitués.

Les Juifs les plus pauvres d'Amsterdam habitaient ce quartier. Les premiers Juifs des pays de l'Est étaient venus s'installer en Hollande bien longtemps auparavant. Les réfugiés juifs allemands étaient arrivés plus récemment. On y entendait parfois parler yiddish ou allemand.

Mais les lois néerlandaises sur l'immigration étaient devenues plus strictes. Comme dans la plupart des pays d'Europe de l'Ouest, il était alors difficile pour les Juifs et les autres réfugiés de s'établir en Hollande.

Le flot des réfugiés s'était considérablement réduit. Nous nous demandions où allaient ceux qu'on refoulait à la frontière. Où se rendaient les Juifs allemands, dont la présence en Allemagne devenait chaque jour plus indésirable ? Qui pouvait les accueillir ?

Il faisait beau, ce jour-là. Les mouettes tournoyaient au-dessus du canal, un air joyeux s'échappait d'un orgue de Barbarie au bout du quai. Pédalant à toute allure sur son triporteur, Willem, notre garçon de courses, rata son virage et plongea droit dans l'eau sombre du Singel, en face du bureau.

M. Frank et moi, nous nous précipitâmes dans la rue et repêchâmes le pauvre garçon et son triporteur dans l'eau, incapables de contenir notre fou rire. M. Frank expédia Willem chez lui en taxi. Nous en rîmes pendant des jours.

Toute envie de plaisanter nous quitta néanmoins, en ce jour de mars 1938 où le personnel du bureau, rassemblé autour de la radio de M. Frank, entendit la voix grave qui annonçait l'entrée triomphale d'Hitler dans Vienne, la ville de sa jeunesse. Le speaker décrivait l'atmosphère de liesse, les déploiements de fleurs et de drapeaux et la foule euphorique.

A Vienne, Hitler avait vécu une existence de paria. J'imaginai la joie hystérique du peuple autrichien qui le fêtait. Mon cœur se serra à la pensée que Vienne était ma ville natale. Je regrettais soudain de n'avoir jamais pris la peine de faire changer mon passeport autrichien.

Nous restâmes sans voix en apprenant que les nazis avaient poussé la perversité jusqu'à employer les Juifs viennois pour nettoyer les toilettes publiques et les rues, et qu'ils avaient réquisitionné leurs biens.

Peu après, je me rendis comme chaque année au Bureau de l'immigration, au 181, Oude Zijds Achterburgwal, afin d'y faire viser mon passeport et prolonger mon visa. Cette année-là, en 1938, quelle ne fut pas ma consternation lorsque l'on m'envoya au consulat allemand, où mon passeport autrichien fut remplacé par un passeport allemand et une croix gammée noire apposée à côté de ma photo ! Officiellement, j'étais à présent de nationalité allemande. C'était un non-sens. Jamais je ne m'étais sentie plus hollandaise qu'alors.

Quelques semaines après, j'étais à la maison, chez ma famille adoptive. Nous venions de finir de dîner, et je lisais le journal pour me détendre, en buvant un second café. On frappa à la porte. C'était pour moi.

Une jeune femme blonde se tenait sur le seuil. Elle avait à peu près mon âge et arborait un sourire mielleux. Elle désirait me parler en particulier.

Je l'invitai à entrer dans l'appartement, lui demandant la raison de sa visite. Dans un flot de paroles, elle m'expliqua qu'on lui avait donné mon nom au consulat allemand, qu'elle était, comme moi, de nationalité allemande et qu'elle m'invitait à me joindre à une association de jeunes filles nazies. Leur idéal était celui de « notre » Führer, Adolf Hitler, et des associations comme « la nôtre » se formaient partout en Europe.

Elle poursuivit ses explications : dès que je rejoindrais leur association, je recevrais un insigne et pourrais commencer à assister aux meetings. Bientôt, « notre » groupe se rendrait dans la mère patrie, l'Allemagne, afin de participer aux activités de nos sœurs aryennes. Elle continua dans cette veine comme si mon ralliement lui était déjà acquis.

Ses airs aimables disparurent quand je déclinai sa proposition. « Mais pourquoi ? » demanda-t-elle, dépitée.

« Comment pourrais-je appartenir à une telle association ? me récriai-je d'un ton glacial. Regardez comment les Allemands traitent les Juifs ! »

Elle plissa les yeux, me dévisagea longuement, comme si elle voulait mémoriser chacun de mes traits. J'étais heureuse d'offrir mon visage le plus méprisant à ses petits yeux de nazie. Qu'elle sache qu'il existait des « aryennes » que les nazis ne convaincraient jamais !

Je lui dis bonsoir et refermai la porte derrière elle.

Nous étions en novembre. Le froid ne s'était pas encore installé. Le ciel était bas, il pleuvait souvent. Un soir, nous nous retrouvâmes très abattus chez les Frank. Quelque temps auparavant, le 10 novembre 1938, avait eu lieu l'horrible « Nuit de Cristal ».

Au cours de cette nuit, des centaines de firmes juives, de maisons, de magasins, avaient été détruits et pillés en Allemagne. Les synagogues avaient été brûlées, les livres saints profanés. Des milliers de Juifs avaient été la cible de la violence nazie, on les avait battus, on leur avait tiré dessus, des femmes avaient été violées, des enfants sauvagement agressés. On les avait rassemblés et déportés vers des destinations inconnues.

Plus tard, nous apprîmes que les Juifs avaient été accusés d'incitation à la violence et contraints de verser des millions de marks.

Mme Frank réagissait avec véhémence à ces actes de barbarie qui s'étaient déroulés si près, et pourtant si loin de nous.

M. Frank secouait la tête, espérant que l'antisémitisme avait atteint là son point culminant, que la haine allait s'apaiser, et que les honnêtes gens comprendraient la déraison qui les amenait à soutenir un groupe d'aventuriers sadiques. Après tout, l'Allemagne pouvait s'enorgueillir d'une tradition de culture et de civilisation. Avait-on oublié que ces mêmes Juifs étaient entrés en Allemagne avec les Romains, des siècles auparavant ?

Dès que Margot et Anne se présentèrent pour dîner à la table familiale, nous cessâmes de parler de ces horreurs, pour aborder des sujets gais et plaisants qui convenaient à des oreilles enfantines, si faciles à impressionner.

Quelques mois s'étaient écoulés depuis notre dernier dîner chez les Frank. Anne et Margot avaient beaucoup changé. A neuf ans, la petite Anne avait acquis une véritable personnalité. Les joues roses, elle parlait avec animation, d'une voix rapide et haut perchée. Margot devenait chaque jour plus jolie, à l'approche de l'adolescence. Plus introvertie que sa sœur, elle restait silencieuse, le dos droit, les mains jointes sur ses genoux. Les deux fillettes se tenaient toujours parfaitement à table.

A l'école, Anne adorait jouer dans des pièces de théâtre. Elle parlait de ses innombrables camarades de classe comme si chacune était sa meilleure amie. C'était visiblement une enfant très sociable. Elle racontait leurs réunions les unes chez les autres, les excursions qu'elles faisaient aux environs d'Amsterdam. Anne avait aussi une passion pour le cinéma. Comme Jan et moi. Nous parlions des films que nous avions vus, comparant nos acteurs préférés.

Élève brillante, Margot passait des heures à étudier pour rester au meilleur niveau de la classe. Anne aussi était bonne élève, mais elle aimait sortir et s'amuser.

Mme Frank habillait ses petites filles avec un goût exquis. Elles portaient de petites robes imprimées, souvent ornées de cols de dentelle blanche, fraîchement repassées et amidonnées. Leurs cheveux noirs étaient toujours propres, brillants et bien coiffés. C'était ainsi que j'aimerais prendre soin de mes enfants, lorsque le temps viendra, pensais-je.

Les dîners chez les Frank comportaient toujours de savoureux desserts préparés par Mme Frank. Comme les enfants, j'adorais les gâteaux. J'étais incapable de résister à la tentation de me resservir, ce qui mettait l'assistance en joie. Margot et Anne ne quittaient jamais la table sans que leur père ait promis de venir leur raconter une histoire après qu'elles auraient fini leurs devoirs. M. Frank était apparemment le conteur de la famille. Anne en était ravie.

C'est vers cette époque qu'un nouveau réfugié entra à la Travies. C'était une vieille relation d'affaires de M. Frank. Il allait devenir notre expert pour le commerce des épices, compte tenu du développement rapide de la société, et diriger la Pectacon, la filiale de la Travies spécialisée dans les épices. Il s'appelait Herman van Daan. Bien qu'il fût d'origine juive hollandaise, il avait vécu de longues années en Allemagne, où il s'était lié avec M. Frank. Sa femme était juive allemande et ils avaient dû quitter l'Allemagne à l'arrivée d'Hitler au pouvoir.

M. Van Daan savait tout sur les épices. Il était capable de reconnaître n'importe laquelle les yeux fermés à l'odeur. De haute taille, les épaules larges et légèrement voûtées, il était toujours bien habillé et gardait continuellement une cigarette au coin des lèvres. Il avait un visage viril, franc, et un début de calvitie, bien qu'il eût à peine quarante-cinq ans.

Prompt à la plaisanterie, il fut rapidement sympathique à tout le monde. Il était incapable de se mettre au travail sans avoir bu un café serré et fumé une cigarette. A eux deux, M. Frank et M. Van Daan ne manquaient pas d'idées pour développer le marché de nos produits et attirer une nouvelle clientèle.

Les Frank se mirent à recevoir chez eux de temps en temps, le samedi après midi, avec du café et des gâteaux.

Jan et moi fûmes parfois conviés à ces réunions. Nous y retrouvions des Allemands, pour la plupart des réfugiés juifs qui avaient fui l'Allemagne d'Hitler.

Si certains invités ne se connaissaient pas avant de se rencontrer chez les Frank, ils avaient beaucoup en commun. M. Frank désirait les présenter aux Hollandais qui s'intéressaient à leur sort, aux raisons qui les avaient forcés à quitter leur pays, à l'accueil qu'ils avaient reçu en Hollande. « Nos amis Hollandais », disait M. Frank en nous présentant, Jan Gies et moi.

M. Van Daan venait souvent avec sa coquette et jolie épouse, Petronella. On y voyait aussi un autre couple, M. et Mme Lewin. Pharmacien, M. Lewin avait eu des difficultés à trouver du travail à Amsterdam. Ils avaient tous les deux quitté l'Allemagne, bien que Mme Lewin fût chrétienne. Les Lewin et les Van Daan s'étaient installés dans notre quartier.

Les Frank invitaient également souvent un chirurgien dentiste, du nom d'Albert Dussel. Bel homme, charmeur, il ressemblait au chanteur français Maurice Chevalier. Dussel amenait sa ravissante femme, avec laquelle il venait de s'enfuir d'Allemagne. Elle s'appelait Lotte, et n'était pas juive.

J'aimais bien le Dr Dussel. Lorsque j'appris qu'il s'était associé avec mon propre dentiste de l'Amstellaan, en attendant de pouvoir monter son cabinet, je décidai de me faire soigner par lui. Je n'eus qu'à m'en féliciter : c'était un excellent dentiste.

Lors de ces réunions du samedi, nous prenions place autour de la grande table en chêne du salon, sur laquelle étaient disposés la belle argenterie de Mme Frank, les tasses à café, les pots de crème et le délicieux gâteau maison. Tout le monde parlait à la fois. Chacun était au courant des derniers événements, en particulier ceux qui concernaient l'Allemagne. Lorsque Hitler entra en Tchécoslovaquie, en mars 1939, nous fûmes bouleversés. L'annexion des Sudètes, en septembre 1938, pour « préserver la paix », nous avait scandalisés, mais cette invasion représentait un outrage intolérable.

Nos discussions cessaient dès que Margot et Anne entraient dans la pièce. Elles étaient présentées à la ronde. Anne souriait facilement, d'un grand sourire qui illuminait son visage. Margot promettait de devenir une véritable beauté, avec son teint superbe et sa silhouette déjà bien tournée. On leur offrait des tranches de gâteau. Elles restaient debout côte à côte, à dévorer le gâteau, Anne arrivant à peine au nez de sa sœur. Un certain calme régnait dans le salon jusqu'à ce que les fillettes eussent quitté la pièce, et refermé la porte derrière elles. La conversation reprenait alors de plus belle.

Les Frank et leurs amis parlaient volontiers de la vie qu'ils avaient connue en Allemagne, avant d'être obligés de fuir. Aussi difficile que fût leur existence, à présent, nos amis allemands ne se plaignaient pas. Lorsque les temps étaient durs pour les adultes, les enfants ne devaient pas s'en apercevoir. C'était aussi l'attitude qu'adoptaient les Hollandais. Aucun n'avait imaginé qu'ils seraient obligés de s'arracher à leurs racines, de fuir leur patrie et de tout recommencer, dans un pays étranger. Heureusement, ils étaient venus se réfugier en

Hollande, un des pays les plus libres et les plus tolérants du monde.

La fumée des cigarettes envahissait la pièce. Les discussions n'en finissaient pas. Jan et moi étions les premiers à partir. En arrivant en bas du porche qui donnait place de la Merwede, nous manquions parfois de nous heurter à Margot et à Anne, qui arrivaient sur leurs bicyclettes noires, les joues rosies par l'air frais. Elles posaient leurs vélos contre la rampe et montaient les marches quatre à quatre, tandis que Jan et moi traversions d'un pas vif la place plantée d'arbres.

4.

Après l'invasion de la Tchécoslovaquie, notre inquiétude grandit. On pouvait tout craindre d'Adolf Hitler. Les gens étaient nerveux, sur leurs gardes. Les troupes hollandaises furent mobilisées, pour parer à toute éventualité. Certains restaient insensibles à la situation mondiale, ne se souciant de rien en dehors de leurs parties de cartes dominicales. Mais, pour d'autres, c'était comme une épine dans leur chair. La douleur ne s'en allait pas. Et nous vivions plus intensément.

A la fin de l'été, la reine Wilhelmine annonça officiellement la neutralité des Pays-Bas.

La tension générale nous obligea à prendre une décision, Jan et moi. Un amour véritable nous unissait. Avec nos revenus modestes, peu d'économies, rien qui nous permît d'acheter des meubles et de commencer une vie commune, nous n'avions pas envisagé de nous marier dans l'immédiat. Les couples aussi peu riches que nous restaient longtemps fiancés.

Mais au diable la sagesse ! Le temps passait et notre jeunesse avec lui. Je venais d'avoir trente ans, Jan en aurait bientôt trente-quatre. Nous décidâmes de nous marier dès que nous trouverions un appartement, problème crucial et difficile à cette époque.

En quête d'un logement, même d'une ou deux pièces chez l'habitant, bref, d'un endroit décent où habiter, nous parcourûmes ce qui nous sembla la ville entière. Il n'y avait rien. Patient de nature, Jan ne manifesta jamais d'irritation, mais la frustration aiguillonnait mon obstination. Plus je me heurtais à l'échec, plus j'étais déterminée. S'il existait un seul endroit qui nous convînt, quelque part dans Amsterdam, je me jurais de le dénicher. Dussé-je pédaler dans le vent cinglant, l'obscurité et la neige, ou dans le petit matin glacé avant d'aller travailler.

Mon entêtement ne fit rien à l'affaire. Nous ne parvenions pas à trouver un lieu où vivre ensemble. Amsterdam avait toujours eu pour tradition d'accueillir ceux qui fuyaient la tyrannie. Malgré les lois strictes sur l'immigration, la ville débordait de réfugiés politiques et religieux. Greniers et sous-sols étaient occupés. Les gens prenaient des locataires, qui prenaient à leur tour des sous-locataires. La population de la ville avait dépassé sa capacité de logement. Il n'y avait plus de place.

Tandis que nous poursuivions en vain nos recherches, l'événement que nous appréhendions eut lieu : le 1er septembre 1939, l'armée d'Hitler entra en Pologne. Le 3 septembre, l'Angleterre et la France déclarèrent la guerre à l'Allemagne. La Hollande se retrouvait au centre du conflit.

Mais une fois que le *Blitzkrieg* allemand eut submergé la Pologne, il ne se passa plus rien. Les gens parlaient de « drôle de guerre ». Puis, le 8 novembre, nos cœurs se gonflèrent d'espoir en apprenant par la radio qu'on avait tenté d'assassiner Hitler. Certes l'attentat avait échoué, mais c'était la preuve qu'il existait encore de « bons » Allemands. S'il en existait quelques-uns, peut-être y en aurait-il davantage ? Peut-être d'autres feraient-ils une seconde tentative, et celle-ci pourrait réussir... Je l'espérais de tout mon cœur.

Je désirais qu'Hitler fût renversé, assassiné, n'importe... Je me mis à réfléchir sur les sentiments qui me rongeaient. J'avais beaucoup changé. On m'avait appris à refuser la haine, le meurtre était un crime épouvantable, et voilà que j'en étais arrivée à connaître la haine et à souhaiter un meurtre.

Un hiver rigoureux s'installa. Les canaux gelèrent, entraînant l'apparition des patineurs. La neige arriva tôt. Le 30 novembre, l'Armée rouge attaqua la Finlande. Mais, à l'approche de l'année 1940, alors que nous abordions une nouvelle décennie, la radio restait étrangement silencieuse. Je me demandais ce qu'allait nous apporter la nouvelle année. Jan et moi reprîmes nos recherches d'appartement, ne désespérant pas de trouver un endroit où nous installer, de pouvoir nous marier et même, peut-être, fonder une famille.

Les affaires se développaient à la Travies. M. Van Daan eut besoin d'employer davantage de personnel pour son commerce d'épices. Nous étions à l'étroit au numéro 400 du Singel. En janvier 1940, M. Frank

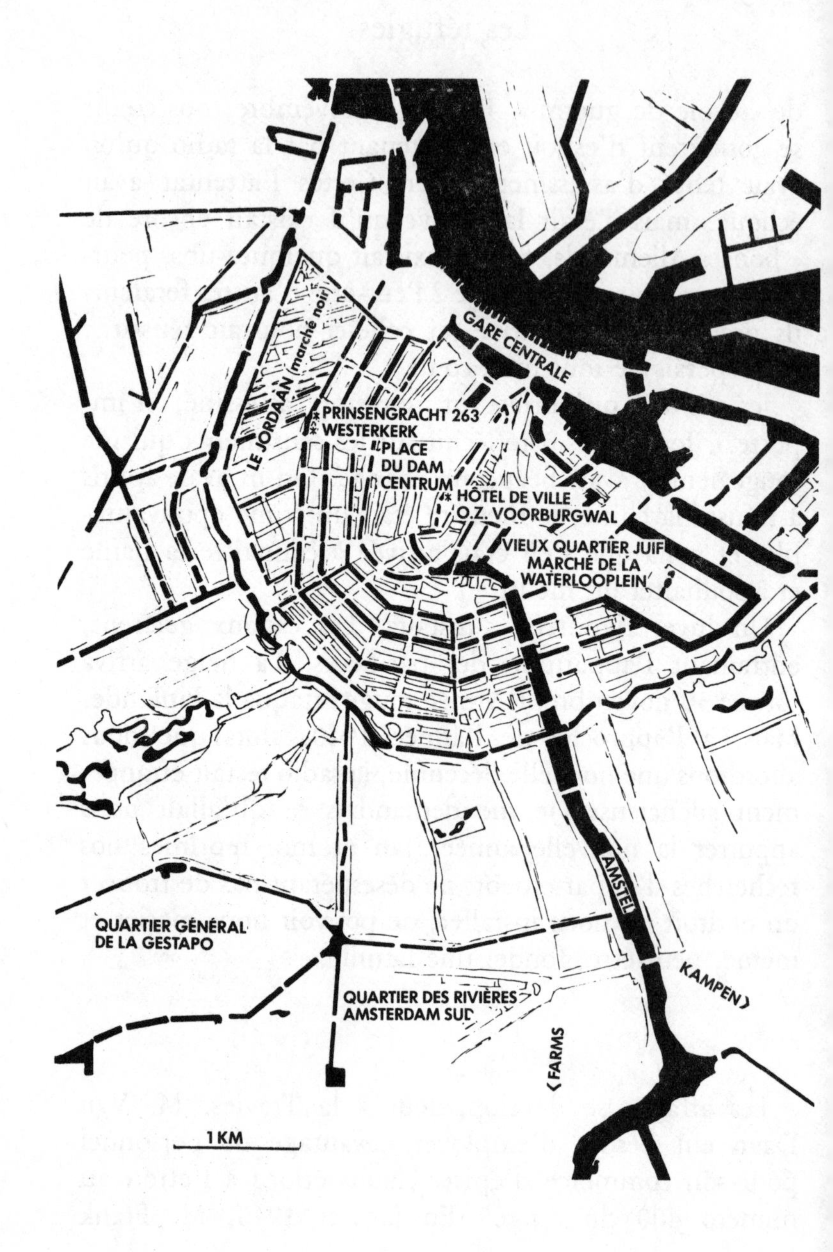
GARE CENTRALE
LE JORDAAN (marché noir)
PRINSENGRACHT 263
WESTERKERK
PLACE
DU DAM
CENTRUM
HÔTEL DE VILLE
O.Z. VOORBURGWAL
VIEUX QUARTIER JUIF
MARCHÉ DE LA
WATERLOOPLEIN
AMSTEL
QUARTIER GÉNÉRAL
DE LA GESTAPO
KAMPEN
QUARTIER DES RIVIÈRES
AMSTERDAM SUD
FARMS
1 KM

nous annonça qu'il avait trouvé de nouveaux bureaux, suffisamment vastes pour permettre à la société de s'agrandir. L'immeuble était situé non loin de notre emplacement actuel, sur le Prinsengracht, l'un des canaux concentriques d'Amsterdam.

Le moment venu, nous déménageâmes au 263, Prinsengracht. C'était une maison étroite en brique rouge, construite au XVIIe siècle. Avec son pignon, elle ressemblait à beaucoup des anciens immeubles de ce vieux quartier. Nous étions maintenant plus à l'ouest, à la lisière du Jordaan, quartier populaire dont le nom avait pour origine le mot français « jardin ». Les rues y portaient des noms de fleurs. Nous étions entourés de fabriques, entrepôts et firmes commerciales semblables à la nôtre.

L'endroit était spacieux. Au rez-de-chaussée, trois portes donnaient sur le canal. La première ouvrait sur un vieil escalier en bois qui conduisait à des pièces servant d'entrepôt dont nous n'avions pas l'utilité immédiate. La seconde donnait accès, par un petit escalier, à un palier avec deux portes en verre dépoli : celle de droite, où on lisait « BUREAU », ouvrait sur la pièce dans laquelle je travaillais, ainsi que d'autres employées, celle de gauche donnait sur un corridor qui menait au bureau de M. Kraler et de M. Van Daan, sur la droite. Au bout du corridor, quatre marches accédaient à un autre petit palier, devant la porte en verre dépoli du bureau privé de M. Frank. La troisième porte d'entrée de l'immeuble était celle de l'atelier, au rez-de-chaussée.

Un matou noir et blanc nous accueillit. Il avait une drôle de tête un peu cabossée et me regarda fixement. Je lui rendis son regard et allai lui chercher du lait. Je frémissais déjà à la pensée des gros rats qui pouvaient se cacher dans cette vieille, vaste et humide maison. Ce chat deviendrait la mascotte du bureau, et serait chargé de contrôler la population des rats dans l'immeuble.

Certains changements avaient eu lieu dans le personnel de la société. Willem nous avait quittés. Deux nouveaux employés le remplacèrent à l'atelier : un homme d'un certain âge et un apprenti.

Peu après le déménagement, M. Frank me fit venir dans son bureau, où il me présenta une jeune fille. Beaucoup plus grande que moi, elle avait des cheveux blond foncé. Dès le premier regard, elle me parut d'une timidité extrême derrière ses lunettes. Elle s'appelait Elli Vossen et avait vingt et un ans. M. Frank venait de l'engager.

Je pris Elli sous mon aile et l'installai au bureau en face du mien. Nous devînmes rapidement une paire d'amies et une bonne équipe de travail. Très vite, nous prîmes l'habitude de déjeuner ensemble et de nous promener en bavardant. Elle était l'aînée d'une famille de sept enfants, six sœurs et un frère.

M. Frank engagea ensuite un homme de la bonne société hollandaise. Son nom était Jo Koophuis. Il était depuis longtemps en relations d'affaires avec M. Frank, et c'était également un ami personnel de la famille. D'âge moyen, il semblait de constitution fragile. Il avait d'épaisses lunettes, un teint pâle, le nez pincé et un regard très doux. C'était un être silencieux, dont la personnalité inspirait immédiatement des sentiments de confiance et d'amitié. Dès le début, j'eus des rapports très chaleureux avec lui.

Je partageais la pièce de devant avec Jo Koophuis, Elli Vossen, et les autres employées de bureau. M. Kraler et M. Van Daan continuèrent à occuper le bureau du fond. Les hommes avaient formé deux équipes, en vérité : Jo Koophuis et Otto Frank s'occupaient des produits alimentaires et de la gestion financière. Van Daan et Kraler étaient chargés des épices, en particulier des épices utilisées dans la fabrication des saucisses.

Par intermittence, d'autres employées étaient engagées. C'était généralement des jeunes femmes sympathiques qui venaient nous prêter main forte et nous quittaient, une fois leur travail terminé. J'étais devenue la responsable du service. C'était à moi de m'assurer que nous remplissions efficacement nos tâches, que les dossiers étaient traités à temps et bien classés. Et ils l'étaient.

Margot Frank eut quatorze ans en février 1940. J'en avais eu trente et un la veille. Ce n'était plus une fillette. Sa silhouette s'était étoffée. Avec son teint délicat, ses grands yeux noirs au regard grave derrière ses lunettes, elle devenait de plus en plus jolie. Les livres et les études l'intéressaient cependant davantage que les frivolités.

Anne n'avait pas tout à fait onze ans et buvait sa grande sœur des yeux, absorbant tout ce qu'elle faisait ou disait de son regard pétillant d'intelligence. Anne avait développé un véritable talent d'imitatrice. Elle était capable d'imiter n'importe qui et n'importe quoi, le miaulement du chat, la voix de sa meilleure amie, le ton autoritaire de son professeur. Nous pouffions de rire devant ses mimiques, ce qui la mettait en joie.

Elle aussi avait changé. Ses jambes et ses bras semblaient s'être étirés, brusquement, à l'approche de l'adolescence. C'était encore une fillette petite et maigre, aux membres soudain trop longs pour son corps. Dernière de la famille, Anne réclamait toujours un supplément d'attention.

Elle s'était mieux portée que sa sœur au cours de l'année écoulée. Margot, elle, continuait à souffrir de petites maladies, en particulier de maux d'estomac. Désormais, les deux sœurs parlaient toujours en hollandais, et sans accent. Elles avaient appris naturellement, comme des canards apprennent à nager. Même Mme Frank faisait des progrès, mais l'apprentissage de la langue s'était révélé plus difficile pour elle qui restait beaucoup à la maison. Constamment mêlé au monde extérieur, M. Frank était passé sans mal de l'allemand au néerlandais.

Le printemps refleurit. La terre dégela. Tulipes, jonquilles et narcisses frais coupés réapparurent sur les marchés. Aussi peu riches que nous fussions, nous gardions toujours un peu d'argent pour acheter un bouquet de fleurs. La douceur de l'air, les jours qui rallongeaient, nous emplissaient d'un sentiment d'espoir. Qui sait... la situation allait peut-être se rétablir en Europe ?

Jan et moi passions nos moments libres ensemble. Dans l'euphorie printanière, Jan me semblait plus beau, plus séduisant, plus spirituel. Son bras autour de mes épaules se faisait plus ferme.

Le 6 avril, nous apprîmes qu'on avait à nouveau tenté d'assassiner Hitler. J'en aurais presque crié de joie. L'attentat avait manqué de peu. Peut-être les « bons » Allemands ne rateraient-ils pas leur coup la troisième fois ?

Soudain, sans crier gare, Hitler envahit le royaume de Danemark. Avec une égale facilité, il occupa la Norvège. Nous partagions tous la même crainte : quelle serait le prochaine étape ? Grâce au ciel, nous fûmes épargnés. Nous continuâmes à profiter du printemps.

5.

Un jeudi du mois de mai, nous nous étions endormies tard, ma sœur Catherina et moi, dans la chambre que nous partagions. La soirée était exceptionnellement douce et nous avions longuement bavardé.

Au milieu de la nuit, un bruit semblable à un bourdonnement m'éveilla. Sans y prêter une attention particulière, je tentai de replonger dans le sommeil tandis qu'un grondement lointain venait s'y mêler. Toute somnolente, je m'aperçus soudain que Catherina me secouait. En bas, quelqu'un cherchait à capter une station sur le poste de radio. Mon cœur se mit à battre.

Nous dévalâmes les escaliers pour rejoindre le reste de la famille et tenter d'apprendre ce qui se passait. Les nouvelles à la radio étaient confuses. S'agissait-il d'avions allemands ? Si oui, pourquoi se dirigeaient-ils vers l'ouest ? Les gens étaient descendus dans la rue, cherchant à en savoir plus. Certains étaient montés sur le toit des maisons. Les explosions venaient de la direction de l'aéroport.

A l'aube, la confusion persistait. Personne ne retourna se coucher. Nous étions trop bouleversés. On annonça que des soldats allemands vêtus d'uniformes hollandais venaient d'être parachutés, que des bicyclettes, des armes et du matériel tombaient du ciel. Personne n'avait jamais rien vu ou entendu de pareil.

Les informations se propageaient de bouche à oreille. Enfin, la reine Wilhelmine parla à la radio. La voix brisée par l'émotion, elle nous annonça que les Allemands avaient attaqué notre bien-aimée Hollande. Nous étions sur le point d'être envahis, mais nous allions riposter.

C'était le vendredi 10 mai 1940. Nous étions totalement désorientés. La plupart des gens se rendirent à leur travail comme les autres jours. Je fis de même.

A la Travies, tout le monde paraissait atterré. M. Frank était très pâle. Nous passâmes la journée à écouter les nouvelles dans son bureau. Il semblait que notre armée continuât de se battre vaillamment, bien que ses effectifs fussent insuffisants, et qu'elle tenait bon. Nous n'avions pas le cœur à bavarder. Nous travaillions en silence. Nous ne pouvions qu'attendre.

Jan arriva en courant à l'heure du déjeuner. Nous nous étreignîmes, redoutant la suite des événements. Les sirènes annonçant les raids aériens retentirent plusieurs fois au cours de la journée. Nous attendions sans bouger que sonne la fin de l'alerte, car il n'y avait pas d'abris dans notre quartier. Aucune bombe ne tomba. Je ne vis aucune trace de combat, pas un homme en uniforme.

D'autres rumeurs circulaient : on parachutait des soldats allemands déguisés en infirmières, en fermiers, en nonnes, en pêcheurs hollandais... Périodiquement, la radio donnait des instructions : rester chez soi, vider les bouteilles de boissons alcoolisées afin de protéger les femmes du soudard allemand. Les gens dévalisaient les magasins, achetaient des quantités de vivres.

Le couvre-feu de vingt heures fut décrété. On nous recommanda de masquer nos fenêtres, de les recouvrir de papier opaque pendant la nuit.

Je gardais l'oreille collée à la radio. Les informations étaient confuses. Nos troupes parvenaient-elles à soutenir l'assaut ? Était-il exact, comme le disait la rumeur, que le gouvernement hollandais avait fait venir un bateau à IJmuiden, pour permettre aux Juifs de s'enfuir vers l'Angleterre ? Était-il vrai que de nombreux Juifs s'étaient suicidés ? Que d'autres s'étaient embarqués pour l'Angleterre sur des bateaux qu'ils avaient achetés ?

La confusion se prolongea durant le week-end. Chaque bribe d'information se répandait comme une traînée de poudre. Nous entendîmes dire que les combats faisaient rage autour d'Amersfoort, que les fermiers avaient reçu l'ordre d'évacuer leurs fermes et que les vaches avaient été laissées dans les pâturages. On les entendait meugler parce que personne n'avait pu les traire.

Survint alors la pire des nouvelles : la reine, la famille royale et le gouvernement s'étaient embarqués, de nuit, vers l'Angleterre. Ils avaient emporté l'or du trésor hollandais avec eux. Une vague de découragement déferla sur nous. Les monarchistes versèrent des larmes de honte, ayant l'impression d'avoir été abandonnés.

On nous dit ensuite que le prince Bernhard, le mari de la princesse Juliana, avait regagné incognito la Hollande et rejoint les troupes hollandaises en Zélande.

Les rumeurs cessèrent aussi soudainement qu'elles avaient commencé. Le 14 mai, à sept heures du soir, le général Winkelman parla à la radio et annonça que les Allemands avaient sauvagement bombardé Rotterdam. La destruction des digues avait entraîné de vastes inondations dans certaines régions. Les Allemands avaient menacé de bombarder Utrecht et Amsterdam si nous continuions à résister. Afin d'épargner davantage nos vies et nos biens, le général expliqua que la Hollande se rendait aux Allemands. Il nous demanda de rester calmes et d'attendre d'autres instructions.

Comme le plus lâche des voleurs dans la nuit, les Allemands nous avaient attaqués. Brusquement, notre univers ne nous appartenait plus. Une étrange atmosphère d'attente s'installa. La rage bouillait au fond de nos cœurs. Nous n'étions plus libres. Il ne pouvait rien nous arriver de pire.

Certains brûlèrent les publications antinazies, les livres anglais et les dictionnaires. D'autres se mirent à s'interroger sur leurs amis et leurs voisins. Il devint soudain important de savoir qui était susceptible d'avoir eu des sympathies nazies, qui pouvait être un espion. De se remémorer ce que nous avions bien pu dire à ces gens.

Les uniformes allemands apparurent dans les rues. L'armée allemande défila dans Amsterdam, le casque sur la tête et l'air triomphant. Les uns portant les autres sur leurs épaules, les gens regardèrent en rangs serrés les tanks et les véhicules blindés passer le pont Berlage en direction de la place du Dam, sous un soleil printanier.

La plupart des visages étaient figés. Des Hollandais nazis sortirent de leurs tanières, accueillant l'ennemi avec des gestes et des cris de bienvenue. Beaucoup d'entre nous se détournèrent. Pour nous, il n'y avait que deux sortes de Hollandais : ceux qui étaient du « bon côté », les hommes et femmes qui s'opposaient aux nazis, à n'importe quel prix, et les autres, ceux qui collaboraient ou sympathisaient.

La vie continua. Les affaires de la Travies prospéraient. Les journées au bureau se déroulaient tranquillement, ponctuées par les cloches de la Westerkerk qui sonnaient tous les quarts d'heure, au bout de la rue. C'était une belle église de brique rouge, ornée de hauts pignons. C'était là, paraît-il, que Rembrandt était enterré. Son carillon aux riches résonances vibrait dans l'air, légèrement assourdi par les ormes qui bordaient le canal.

Lorsque j'entendais les cloches sonner, les premiers jours de notre installation dans l'immeuble du Prinsengracht, je m'arrêtais un instant de travailler et regardais par la fenêtre les mouettes qui plongeaient dans le canal pour y pêcher leur nourriture. Très vite, leur carillon fit partie de l'atmosphère et je ne le remarquai plus.

Un jour, M. Frank me prit à part et m'annonça gaiement qu'il avait vu une annonce pour des chambres à louer dans son quartier, au 25 de la Hunzestraat.

Le lendemain matin, je me rendis avec lui dans un immeuble en brique de la Hunzestraat, une rue tranquille non loin de l'appartement des Frank, place de la Merwede. Les pièces à louer se trouvaient au rez-de-chaussée. M. Frank sonna. Une aimable petite dame, brune et potelée, vint nous ouvrir. Elle s'appelait Mme Samson. M. Frank engagea la conversation et nous comprîmes qu'elle était juive. Elle nous montra les pièces à louer, nous expliquant pourquoi elles s'étaient brusquement libérées. Elle parlait avec abondance.

Il apparut que Mme Samson avait une fille mariée qui vivait à Hilversum, à quelques kilomètres d'Amsterdam. Le jour de l'attaque allemande, sa fille, son gendre et leurs enfants étaient partis en hâte vers le port d'IJmuiden, dans le but de gagner l'Angleterre.

Lorsque le mari de Mme Samson, un photographe spécialisé dans les portraits d'écoliers, était rentré chez lui, ce soir-là, il s'était montré bouleversé en apprenant que sa fille et ses deux petits-enfants étaient partis sans qu'il ait pu les revoir. Il avait décidé de se rendre à IJmuiden, dans l'espoir de les embrasser avant leur départ.

Il ignorait qu'ils avaient dû regagner Hilversum sans avoir trouvé de place à bord. M. Samson était monté sur l'un des bateaux pour les chercher. Coincé par la foule, il n'avait pu redescendre à temps et s'était involontairement embarqué pour l'Angleterre.

Elle se retrouvait donc seule dans l'appartement, ignorant si elle reverrait un jour son mari. Elle avait peur de rester seule. Voilà pourquoi les pièces étaient à louer.

Je lui déclarai sur-le-champ que son offre nous convenait. Jan et moi pouvions emménager sans tarder. Elle parut soulagée. Il était préférable d'avoir des locataires jeunes et robustes par les temps qui couraient.

En nous installant chez elle, nous racontâmes à Mme Samson que nous étions mariés. Très vite, cependant, dès que nous la connûmes mieux, nous lui avouâmes la vérité, ajoutant que nous espérions nous marier le plus tôt possible. Ces temps inhabituels excusaient des arrangements inhabituels.

Pendant la journée, nous entendions le vrombissement de l'aviation allemande au-dessus de nos têtes. On annonçait que le Luxembourg et la Belgique étaient tombés aussi rapidement que les Pays-Bas, que l'Allemagne avait envahi la France. Les combats — disait-on — se poursuivaient. Winston Churchill avait remplacé Neville Chamberlain à la tête du gouvernement anglais.

En Belgique, le roi Léopold III avait capitulé devant les nazis et se trouvait maintenant en leur pouvoir. Nous commencions à réaliser qu'il était préférable que la reine Wilhelmine ne se trouve pas entre les mains des Allemands. Il valait sans doute mieux qu'elle soit en sécurité en Angleterre. Elle nous parla avec émotion sur les ondes de la BBC, affirma qu'elle dirigerait le gouvernement de la Hollande libre à partir de l'Angleterre jusqu'à ce que les Allemands soient vaincus. Elle nous exhorta à rester calmes, à ne pas perdre courage, à résister aux nazis de toutes les façons possibles. Un jour, nous serions à nouveau une nation libre.

A la fin du mois de mai, un nazi d'origine autrichienne, Arthur Seyss-Inquart, devenu chancelier d'Autriche après l'annexion du pays par l'Allemagne en 1938, fut nommé Commissaire du Reich pour les Pays-Bas. C'était un homme trapu, d'allure commune, qui portait des lunettes à monture métallique et boitait. Naturellement, nous éprouvâmes tout de suite pour lui le plus grand mépris.

En juin, la croix gammée flotta au sommet de la tour Eiffel. L'armée allemande avait submergé l'Europe. Il semblait impossible de l'endiguer. Les troupes victorieuses d'Hitler occupaient la presque totalité des pays d'Europe, des confins glacés de la Norvège jusqu'aux vignobles français, des frontières les plus reculées à l'est de la Pologne et de la Tchécoslovaquie jusqu'aux polders hollandais, sur la mer du Nord. Comment l'Angleterre pourrait-elle résister contre une telle puissance ? A la radio, Churchill clamait qu'elle en était capable, qu'elle obtiendrait « la victoire à tout prix ». Les Anglais représentaient notre unique espoir.

Les beaux jours de l'été arrivèrent. Amsterdam vivait encore presque normalement. Nous nous prenions parfois à penser que rien n'avait changé. Les marronniers s'épanouissaient. Il faisait jour jusqu'à dix heures du soir. Peu à peu, Jan et moi installions notre foyer dans les deux pièces meublées de Mme Samson, avec cuisine et salle de bain communes.

Pour la première fois, je me mis à préparer de véritables repas, et je découvris que j'y avais un certain talent. Jan était heureux ; moi aussi. L'atmosphère paraissait inchangée à Amsterdam, tant que notre regard ne rencontrait pas un soldat allemand attablé à la terrasse d'un café, ou un policier allemand, un membre de ce que l'on appelait la *Grüne Polizei,* la « Police verte », à cause de leurs uniformes vert-de-gris. Revenait la réalité de l'occupation. Je prenais alors un air impénétrable, et continuais de vaquer à mes occupations.

Les Allemands s'efforçaient de gagner nos faveurs. Je ne me laissais pas duper par leur attitude amicale, leurs tentatives pour inspirer confiance. J'évitais avec eux tout rapport.

Désormais, la radio officielle diffusait uniquement de la musique allemande. Les salles de cinéma ne projetaient que des films allemands, si bien que nous cessâmes d'aller au cinéma. Il fut interdit d'écouter la BBC. Cette mesure n'avait aucun effet sur nous. La radio anglaise était notre seule source d'espoir et d'encouragement.

A partir de la fin juillet, Radio Orange, la voix du gouvernement hollandais en exil à Londres, se mit à émettre de nuit. Nous eûmes l'impression d'une source jaillissant au milieu du désert. Seuls les communiqués allemands étaient publiés dans la presse et nous ignorions ce qui se passait dans le monde. Avides d'obtenir davantage d'informations, nous nous pressions autour de nos postes pour écouter Radio Orange, que ce fût illégal ou non.

Malgré leur inquiétude, les Hollandais juifs n'avaient pas été traités différemment des autres, jusqu'à présent. En août, les réfugiés juifs allemands reçurent l'ordre de se faire enregistrer au bureau de l'immigration. On ne prit aucune mesure contre eux. Ils furent enregistrés, sans plus.

Les salles de cinéma projetèrent un documentaire antisémite, « Le Juif éternel ». Jan et moi avions cessé d'aller au cinéma. Nous ne le vîmes pas. Les Allemands firent retirer des bibliothèques et librairies certains ouvrages dont ils n'appréciaient pas le contenu. Nous apprîmes qu'ils apportaient également des changements dans les livres scolaires, afin de les adapter à leur idéologie.

En août, Hitler lança des centaines de bombardiers à l'assaut de l'Angleterre. Une première vague passa, suivie d'une seconde. Nous entendions le grondement lointain des avions qui survolaient la Hollande. Parfois, c'était les avions de la RAF qui volaient en direction de l'est. Nos cœurs battaient plus vite. La BBC parla de bombardements sur Berlin et l'espoir monta en nous. Puis, la radio allemande annonça que Londres était en flammes et que les Anglais étaient au bord de la capitulation. Nos cœurs se serrèrent. La rage nous étouffait.

En septembre, les escadrilles de la Luftwaffe commencèrent à effectuer d'importants raids de nuit. Le vrombissement de ces messagers de la mort accompagnait notre sommeil. Comme on nous l'avait prescrit, je recouvris nos fenêtres de papier opaque. Les nuits nous parurent étouffantes et terriblement noires sans la lumière du clair de lune.

Des milliers de Hollandais étaient employés dans des usines de l'autre côté de la frontière. D'autres étaient partis dans des manufactures allemandes en Belgique et en France. Sur tous les murs, des affiches colorées appelaient les Hollandais à venir travailler en Allemagne. Elles montraient de fiers visages aryens au teint resplendissant.

Les nazis hollandais, membres du NSB, rejoignirent le parti nazi allemand. Ils eurent droit à un traitement de faveur et jouirent de privilèges. Notre méfiance à leur égard était extrême. Parfois, nous ignorions si notre interlocuteur était du « bon » ou du « mauvais » côté, et nous ne parlions jamais de la guerre à une personne dont nous n'étions pas sûrs. Il nous arrivait, à présent, de trouver les magasins à moitié vides. Les Allemands commençaient à prendre nos vivres pour les expédier chez eux.

Dans le courant de l'automne 1940, une profonde détresse s'empara de la population juive. les Juifs employés dans les services publics ou administratifs, comme les enseignants, les professeurs d'université ou les postiers, furent contraints de quitter leur poste. Cette mesure souleva l'indignation générale. Certains Hollandais, comme Jan, durent signer une « attestation aryenne », par laquelle ils certifiaient ne pas être juifs. Nous fûmes affreusement choqués par ces mesures, indignés de voir tant de personnes respectables et instruites congédiées de manière aussi abjecte.

La vie à la Travies ne fut pas modifiée pour autant. On se contenta de changer le nom du chat du bureau pour l'appeler Moffie — surnom dont on qualifiait les Allemands : un Mof était un biscuit en forme de petit cochon bien gras. Parce que notre chat avait la réputation de voler la nourriture dans les maisons du voisinage, comme les Allemands volaient nos vivres, Moffie nous parut approprié.

M. Frank et M. Van Daan faisaient de leur mieux pour dissimuler leurs sentiments. Chacun se comportait envers eux comme si de rien n'était. Par décret du 22 octobre, notre société dut toutefois se faire inscrire sur la liste des firmes appartenant à des Juifs ou ayant un ou plusieurs associés juifs.

Les choses commencèrent de façon insidieuse. Tandis que s'installait l'hiver, le nœud se resserra autour des Juifs. Ils durent d'abord se faire recenser. Les frais de recensement s'élevaient à un florin. La plaisanterie courut que les Allemands avaient institué cette mesure pour remplir leurs poches. On chuchota ensuite qu'à La Haye, à moins de soixante kilomères d'Amsterdam, des écriteaux apparaissaient sur les bancs des jardins et les places publiques indiquant « INTERDIT AUX JUIFS » ou « JUIFS INDÉSIRABLES ». Une telle ignominie pouvait-elle réellement exister aux Pays-Bas ?

La réponse nous fut donnée lorsque des manifestations d'antisémitisme eurent lieu dans Amsterdam même. De violentes bagarres éclatèrent entre Juifs et nazis, dans le vieux quartier juif, près de la place du Marché. Les Allemands en profitèrent pour faire lever les ponts, installer des postes de garde, et boucler le quartier. Le 12 février 1941, le jounal du parti nazi hollandais rapporta que les Juifs avaient égorgé des soldats nazis à coups de dents et sucé leur sang comme des vampires. L'étendue des mensonges et de la perversité des nazis nous bouleversa.

De violentes altercations entre Juifs et nazis eurent lieu dans notre quartier, au sud d'Amsterdam. L'une d'elles se produisit dans l'un de nos salons de thé préférés, chez Koco, dans la Rijnstraat. On raconta que des Juifs avaient versé de l'ammoniaque sur la tête de soldats allemands.

En février, quatre cents juifs furent interpellés dans le vieux quartier juif. La rumeur circula qu'ils avaient dû se livrer à des actes humiliants, s'agenouiller aux pieds des soldats nazis, par exemple. Les victimes de cette rafle furent envoyées dans un camp de prisonniers appelé Mauthausen. La nouvelle se répandit rapidement que ces hommes avaient trouvé une mort « accidentelle ». Les familles furent avisées qu'ils étaient décédés de crise cardiaque ou de tuberculose. Personne n'y crut.

Les Hollandais sont longs à se mettre en colère, mais lorsque la coupe déborde, leur fureur ne connaît plus de limite. Pour manifester notre indignation, nous appelâmes à une grève générale le 25 février. Nous voulions montrer aux Juifs hollandais que nous n'étions pas indifférents aux tourments qui leur étaient infligés.

Et le 25 février, ce fut l'explosion. Les secteurs de l'industrie et des transports cessèrent de fonctionner. Au premier rang de la grève se trouvèrent les dockers. Les autres travailleurs suivirent le mouvement. Avant l'occupation allemande, plusieurs partis et groupes politiques s'opposaient en Hollande. Brusquement, nous ne formions plus qu'un seul parti : le parti anti-allemand.

La grève de février dura trois jours, trois merveilleux jours. Le moral des Juifs remonta. Chacun ressentait la solidarité qu'avaient inspirée les grèves. C'était dangereux mais réconfortant de pouvoir faire quelque chose contre l'oppresseur. Mais, au bout de trois jours, les nazis reprirent le dessus par des mesures de répression brutale.

Jan et moi n'étions pas retournés chez les Frank depuis un certain temps. Nous étions très inquiets pour eux, et je me sentais rongée par le remords. Comment avions-nous pu être assez naïfs pour penser qu'un homme aussi immoral qu'Adolf Hitler respecterait notre neutralité ? Si seulement nos amis juifs avaient fui en Amérique ou au Canada ! Nous avions le cœur particulièrement serré en songeant aux Frank et à leur deux jeunes enfants. Mme Frank avait deux frères qui étaient partis en Amérique.

La santé délicate de Margot s'était aggravée depuis le début de l'occupation. Fréquemment malade, elle faisait en sorte de ne pas interrompre ses études. Toujours douce et silencieuse, elle s'efforçait de dissimuler ses angoisses.

Anne était la plus extravertie de la famille. Elle abordait franchement tous les sujets, attentive aux événements qui se déroulaient dans le monde, révoltée par les injustices qui frappaient la population juive.

A ses innombrables passions, stars de cinéma ou amies de cœur, était venu s'ajouter un autre sujet d'intérêt : les garçons. Depuis peu, sa conversation se pimentait de réflexions sur certaines personnes du sexe opposé.

On aurait dit que les conflits qui secouaient le monde accéléraient la maturité de cette petite fille, qu'Anne avait soudain hâte de tout connaître et de tout expérimenter. Extérieurement, c'était une fillette de douze ans, délicate et pleine d'entrain, mais intérieurement, quelque chose en elle avait soudain vieilli plus vite que son âge.

De façon tout à fait inattendue, je reçus une convocation de de me présenter au consulat allemand. Un sombre pressentiment m'envahit.

Je m'habillai avec le plus grand soin. Jan m'accompagna. Le consulat se trouvait place du Musée. C'était un immeuble cossu, peu éloigné du Rijksmuseum. L'endroit dégageait une impression sinistre.

A l'entrée, on nous arrêta pour nous demander la raison de notre visite. Je présentai ma convocation. Après nous avoir attentivement examinés, on nous fit entrer et suivre un couloir jusqu'à une porte. Je m'accrochais fermement au bras de Jan.

La porte était entrouverte. Je dus à nouveau montrer ma convocation. Des voix fortes, menaçantes, s'élevaient à l'intérieur et j'eus l'intuition que quelque chose de désagréable allait arriver. Ma main agrippa encore plus fort le bras de Jan

On me dit d'entrer. Jan s'apprêtait à me suivre, mais l'homme qui se tenait à la porte l'en empêcha.

Je m'avançai seule.

Le fonctionnaire qui se tenait à l'intérieur ne fit aucun effort de politesse lorsque je lui présentai ma convocation. Il me regarda comme si j'étais un ver de terre, se contentant de me demander mon passeport. Je le lui tendis, le cœur battant. Il le prit et sortit.

Les minutes d'attente me parurent une éternité. Des pensées terrifiantes me traversaient l'esprit : ils allaient me renvoyer à Vienne. Je ne reverrais jamais Jan Ils allaient m'obliger à m'engager dans le parti nazi hollandais. Un malheur allait arriver à ma famille, qui vivait toujours à Vienne.

Sortant du bureau attenant, un homme entra dans la pièce, me toisa de haut en bas, et repartit. Le temps passa. Un second le suivit peu après, me dévisagea. Ils étaient sans doute en train de me jauger, pensais-je. La plupart des Allemandes de mon âge qui vivaient en Hollande depuis plusieurs années étaient employées de maison. Je ne ressemblais pas à une employée de maison. Je les intriguais.

Le premier fonctionnaire revint enfin avec mon passeport. Il me demanda s'il était exact que j'avais refusé de me joindre à une association de jeunes filles nazies. Je me rappelai la visite que j'avais reçue plusieurs mois auparavant. « C'est exact », répondis-je.

Avec un regard glacial, il me tendit mon passeport et dit d'un ton sec : « Votre passeport n'est plus valide. Vous devez regagner Vienne dans les trois mois. »

Sur la page où était inscrite la date de validité, il avait tracé un grand X en noir. A la date d'aujourd'hui, mon passeport était périmé.

En plein désarroi, je me rendis au bureau de l'immigration de la police, où j'allais faire renouveler ma carte de séjour tous les ans. Les bureaux se trouvaient Oude Zijds Achterburgwal. On m'y avait toujours reçue avec amabilité. Je racontai ma mésaventure au policier responsable du service et lui montrai mon passeport.

Il m'écouta avec bienveillance, secoua tristement la tête. « Nous vivons dans un pays occupé, dit-il. Nous ne pouvons plus vous aider. Nous n'avons aucun pouvoir. »

Il réfléchit pendant quelques secondes. « Vous pourriez retourner au consulat allemand, suggéra-t-il. Essayez de les apitoyer. Mettez-vous à pleurer, dites-leur que vous regrettez d'avoir refusé de vous joindre aux Jeunesses nazies. »

Je me raidis. « Jamais.

— La seule solution est de vous marier à un Hollandais. »

On ne pouvait tomber mieux. Je lui dis que c'était mon intention.

Il secoua la tête. « Vous aurez besoin de votre certificat de naissance pour vous marier. »

J'avais des parents à Vienne. Peut-être seraient-ils en mesure de m'aider ? Il continua à secouer la tête, désignant la date inscrite à côté du grand X. « Vos papiers n'arriveront pas à temps. Vous n'avez que trois mois pour obtenir votre certificat de mariage. En temps normal, un document légal mettrait un an ou plus à vous parvenir. Et nous ne sommes pas en temps normal. » Une expression de tristesse se répandit sur son visage rond.

Je courus à la maison, écrivis immédiatement à mon oncle Anton à Vienne, le priant de m'envoyer mon certificat de naissance au plus vite.

L'attente commença.

Les Allemands continuaient leur progression. La radio annonçait les victoires du général Rommel en Afrique du Nord, déclarait que les Allemands étaient sur le point de conquérir la Grèce et la Yougoslavie, que la Hongrie, la Bulgarie et la Roumanie avaient été elles aussi envahies et occupées. Comme tant d'autres, je m'accrochais à la plus petite nouvelle réconfortante captée sur la BBC ou Radio Orange — à chaque défaite, à chaque acte de sabotage infligés par les forces clandestines de résistance qui s'organisaient peu à peu en Hollande et partout ailleurs.

Les Grecs capitulèrent en avril 1941. La presse montra la croix gammée flottant sur l'Acropole comme elle avait flotté en France.

En même temps, les nazis multipliaient les mesures antisémites. Du jour au lendemain, les Juifs eurent l'interdiction de séjourner dans les hôtels, d'entrer dans les cafés, les cinémas, les restaurants, les bibliothèques. Même les jardins publics leur furent interdits. Pis encore, on leur intima l'ordre de remettre leurs postes de radio à la police allemande. Ils devaient auparavant les faire vérifier et réparer à leurs frais. La perte du seul lien qui les reliait au monde extérieur était une privation incommensurable. La radio était la source de l'espoir.

Oncle Anton finit par écrire. Il avait besoin de mon passeport pour obtenir mon certificat de naissance. « Envoie-le-moi immédiatement », disait-il.

J'aurais dû le savoir. J'étais dans une impasse. Il m'était impossible d'envoyer mon passeport invalidé à Vienne. Je ne pouvais pas mettre oncle Anton au courant. Le simple fait de s'être trouvé en rapport avec quelqu'un qui avait refusé de rejoindre les Jeunesses nazies risquait de le mettre en danger, ainsi que les autres membres de ma famille.

Je tenais M. Frank au courant des difficultés dans lesquelles je me débattais. Négligeant ses propres problèmes, il prêtait toujours une oreille attentive à mes ennuis. Lorsque je lui montrai la lettre de mon oncle, lui confiant mes inquiétudes devant le tour que prenaient les choses, il m'écouta sans rien dire.

« J'ai une idée, dit-il soudain. Pourquoi ne pas faire un cliché de la première page de votre passeport ? La page qui porte votre photo et le timbre allemand avec la croix gammée. Envoyez ensuite la copie à votre oncle Anton, pour qu'il la porte à la mairie. Elle prouve que vous êtes en possession d'un passeport. Expliquez que vous ne pouvez pas circuler sans lui en ce moment, en Hollande. »

Il ne me restait plus qu'à prier pour que le stratagème réussît.

Je suivis la suggestion de M. Frank. Chaque jour comptait. Jan et moi attendions désespérément, nous efforçant de dissimuler notre anxiété. Pour moi, la perspective de quitter la Hollande était un sort bien plus cruel que la mort.

Les décrets qui frappaient les Juifs étaient chaque jour plus nombreux. Médecins et dentistes juifs n'eurent plus l'autorisation de soigner des non-Juifs. Je passai outre et continuai à me faire soigner par Albert Dussel. Les Juifs n'étaient pas autorisés à se baigner dans les piscines publiques. Où Anne, Margot et leurs amies pourraient-elles aller se rafraîchir pendant l'été ?

On intima l'ordre aux Juifs d'acheter l'hebdomadaire juif, le *Joodsche Weekblad*, qui publiait la liste des nouveaux décrets. Les Allemands pensaient sans doute empêcher de cette façon les chrétiens de connaître les mesures qui étaient portées contre les Juifs. C'était peine perdue, les nouvelles se répandaient comme une traînée de poudre. Des publications clandestines antiallemandes commençaient à circuler. Publiées sous le manteau, elle nous offraient une bouffée d'air frais, un antidote au poison des mensonges dont nous étions abreuvés.

Une lettre d'oncle Anton arriva. « Je suis allé à la mairie avec la copie de ton passeport. Les bureaux étaient remplis de jeunes gens qui font le salut fasciste. Ils n'ont cessé de me renvoyer d'une personne à une autre, d'un service à un autre. J'ai fini par renoncer. Mais n'abandonne pas tout espoir. Je n'ai pas l'intention de me tenir pour battu. Si je n'obtiens aucun résultat, j'irai voir le maire de Vienne en personne ! »

Ces mots m'emplirent d'effroi. Si l'oncle Anton insistait, on découvrirait que j'avais refusé de rejoindre une association de jeunes filles nazies, que mon passeport avait été invalidé. Pour avoir voulu m'aider, l'oncle Anton se trouvait en danger. C'était affreux. Et il nous restait si peu de temps.

En juin, alors que tout semblait perdu, une troisième lettre arriva au bureau. Je lus en retenant ma respiration : « Je me suis rendu à la mairie pour une dernière tentative. La personne qui m'a reçu était une femme d'un certain âge. Quand je lui ai raconté que j'avais une nièce à Amsterdam qui avait besoin de son certificat de naissance pour épouser un Hollandais, cette femme m'a adressé un grand sourire. "J'ai passé des vacances merveilleuses à Amsterdam, m'a-t-elle dit. J'en garde encore le souvenir. Attendez ici." Elle a quitté la pièce, puis elle est revenue avec ton certificat. Tu le trouveras dans l'enveloppe. Puisse Dieu te bénir ainsi que ton fiancé hollandais. Oncle Anton. »

Mon certificat de naissance soigneusement plié s'échappa de l'enveloppe.

Elli m'embrassa. Tout le monde voulut voir le document. J'étais prise dans un tourbillon de joie.

Je remerciai M. Frank avec effusion. Après tout, c'était son idée. « Je suis très heureux pour vous et Jan », dit-il simplement.

Jan et moi courûmes à la mairie d'Amsterdam pour fixer la date de notre mariage. Mais notre bonheur fut de courte durée. On nous annonça que lorsqu'une personne étrangère épousait un Hollandais, elle devait présenter son passeport le jour du mariage. Le choc fut terrible. Si l'officier municipal chargé de nous marier était un sympathisant nazi, je risquais d'être déportée.

La gorge serrée, nous nous inscrivîmes pour le 16 juillet 1941. Autant en emporte le vent du destin.

Le soleil brillait en ce matin du 16 juillet. Je mis mon manteau le plus élégant, mon plus joli chapeau. Jan portait un beau costume gris, et nous prîmes fièrement le tramway numéro 25 pour nous rendre place du Dam. Bien que ce fût le jour de notre mariage, une seule chose occupait mon esprit pendant le trajet : le grand X qui annulait mon passeport.

Tandis que nous approchions de la vaste place où piétons et vélos se frayaient une voie parmi les pigeons, je me sentis certaine d'une chose : Quoi qu'il arrivât, dussé-je être déportée, ou pire, je ne retournerais jamais à Vienne. Jamais. C'était impossible. J'irais me cacher. Je deviendrais *onderduiker* — terme hollandais qui désigne celui qui « plonge en dessous », se cache, passe dans la clandestinité. Jamais je ne retournerais en Autriche.

M. Frank avait fermé la Travies pour l'occasion. Pendant que Jan et moi attendions d'être introduits dans la salle des mariages, nos amis arrivèrent. Parmi eux se trouvaient mes parents adoptifs, Mme Samson, Elli Vossen, M. et Mme Van Daan. Mme Van Daan était vêtue d'un petit tailleur à jupe courte et coiffée d'un amusant chapeau mou.

Mme Frank n'avait pas pu venir. Sa mère et Margot étaient malades, et elle avait dû rester chez elle pour les soigner. Anne arriva avec son père. M. Frank avait beaucoup d'allure avec son costume sombre et son chapeau. Anne portait une robe princesse et un chapeau assorti, orné d'un ruban. Elle ressemblait à une petite jeune fille. Ses cheveux avaient poussé. A leur éclat et à leur volume, on sentait qu'elle les brossait avec soin.

Nos amis semblaient aussi nerveux que nous. Ils étaient tous au courant de la situation.

Anne se tenait près de son père. Elle ne nous quittait pas du regard, Jan et moi. Peut-être étions-nous les premiers jeunes mariés qu'elle voyait en chair et en os.

A la façon dont elle contemplait Jan, il était visible qu'elle lui trouvait fière allure. Peut-être me voyait-elle avec les mêmes yeux ? Un mariage était le spectacle romantique par excellence pour une fillette de douze ans.

Nous n'étions pas les seuls à attendre. On appelait les gens par leur nom. Notre tour vint enfin. Nous nous avançâmes vers le bureau, nos amis pressés derrière nous. L'huissier demanda notre certificat.

Jan le lui tendit. L'homme l'annota, leva les yeux. « Puis-je avoir le passeport de la mariée, s'il vous plaît ? » demanda-t-il.

Je sentis mon cœur pris dans un étau. C'était le moment crucial. Nous le savions tous. C'est dans un silence total que je lui tendis mon passeport.

Nous observions l'huissier, cherchant à déchiffrer ses opinions politiques sur son visage quelconque. Il ouvrit mon passeport, le feuilleta, gardant obstinément les yeux levés sur Jan. « Très bien », dit-il sans y jeter un seul regard.

L'étau se relâcha. Mes genoux faiblirent. En me dirigeant vers la pièce voisine où devait avoir lieu la cérémonie officielle, j'avais l'impression que ma tête allait éclater. Jan et moi restâmes debout, flanqués par deux autres couples sur le point de se marier. L'adjoint au maire s'adressait aux trois jeunes épousées, « ... la femme doit suivre son mari... » Je n'entendais rien. Trois mots tambourinaient dans ma tête. Trois mots merveilleux : « Je suis hollandaise ! Je suis hollandaise ! Je suis hollandaise ! »

On me tirait par l'épaule. C'était Jan. Tous les yeux étaient rivés sur moi. Une seconde passa. Le regard chaleureux des yeux bleus de Jan me ramena sur terre : « Oui, dis-je précipitamment. Je le veux. »

Un soupir de soulagement s'échappa de l'assistance.

Le soleil d'été rayonnait lorsque nous sortîmes dans la rue. Notre joie éclata. Anne sautillait, oubliant son maintien de jeune demoiselle. Les yeux de nos amis brillaient, humides d'émotion. Tout le monde s'embrassait. Les passants dans la rue nous regardaient d'un air attendri. Un photographe ambulant qui passait par là accepta de nous prendre en photo pour notre album.

J'étais si heureuse que je gardai notre certificat de mariage serré dans ma main, contrairement à la tradition hollandaise, qui veut que le mari le prenne avec lui. Jan était mon idéal. L'homme que j'aimais de tout mon cœur. Grâce à lui, mon rêve de toujours s'était réalisé : j'étais devenue Hollandaise.

Mon alliance en or fit grande impression sur Anne. Elle la regarda d'un air rêveur, s'imaginant peut-être qu'un jour viendrait où elle épouserait un grand et bel homme comme Jan. Par ces temps difficiles, nous n'avions pu nous offrir qu'une alliance. Jan avait insisté pour que ce soit moi qui la porte. Plus tard, lorsque les jours seraient meilleurs, nous en achèterions une autre pour lui.

Nos amis me taquinèrent sur mon étourderie, quand j'avais oublié de répondre le « oui » traditionnel. Je leur répondis que j'avais une seule idée en tête : « Je suis hollandaise, enfin ! » N'était-ce pas une victoire sur l'occupant ? Cela fit rire tout le monde.

Nous nous séparâmes de nos amis. Jan et moi devions assister à une cérémonie familiale chez mes parents adoptifs. M. Frank nous informa qu'il donnerait une petite réception en notre honneur au bureau, le lendemain matin.

« Ce n'est pas nécessaire », lui dis-je.

Mes protestations n'y firent rien.

« Je serais si contente d'y assister », s'écria Anne avec un sourire radieux.

Le lendemain matin, le bureau était transformé en salle de réception. L'un de nos représentants avait apporté des saucisses de veau, du bœuf en tranches, du salami, du fromage. Nous n'avions pas vu un tel étalage de nourriture depuis longtemps. « C'est trop », dis-je à M. Frank.

Il souriait, heureux d'avoir à fêter quelque chose en ces temps de tristesse.

Anne portait une robe d'été de couleur vive et était d'humeur joyeuse. Elle aida à disposer les viandes sur les assiettes, à couper le pain, beurrer les tartines... Nous étions dans un état d'euphorie. Nous étions si désarmés devant l'oppresseur que ma victoire semblait encore plus réconfortante.

Anne et Elli passèrent les plats. Nous mangeâmes jusqu'à être rassassiés, bûmes jusqu'à plus soif, portâmes des toasts. Je fus profondément émue par les présents que nous reçûmes. Il n'était pas facile de trouver de jolies choses par les temps qui couraient, mais chacun avait trouvé quelque chose à nous offrir. Anne nous offrit une assiette en argent de la part de sa famille et du personnel. M. et Mme Van Daan nous donnèrent des verres en cristal gravés de grappes de raisin. De la part de Mme Samson, une boîte en céramique avec un couvercle en argent en forme de poisson. Bien d'autres présents encore.

Anne gardait les yeux fixés sur Jan et sur moi, captivée par notre belle histoire d'amour. Elle nous regardait comme si nous étions deux stars de cinéma et non deux Hollandais ordinaires qui venaient de se marier.

6.

Les mesures antijuives se multiplièrent pendant tout l'été. A partir du 3 juin 1941, mention fut obligatoirement faite d'un grand « J » noir sur les cartes d'identité de tous ceux qui, lors du recensement, avaient déclaré au moins deux grands-parents juifs. Déjà tout Hollandais, chrétien ou juif, avait été contraint de porter en permanence sa carte d'identité sur lui.

On se mit à murmurer que nous nous étions montrés bien naïfs, en Hollande, en répondant avec honnêteté aux questions du recensement. A présent, les Allemands connaissaient exactement le nom et le domicile de tous les Juifs hollandais. Chaque citoyen juif qui négligeait de se faire enregistrer risquait cinq ans de prison et la confiscation de ses biens. L'exemple de ceux qui avaient été déportés à Mauthausen pour ne plus jamais revenir était encore vivant dans les esprits.

Certaines des mesures antijuives étaient grotesques. L'interdiction pour les Juifs d'avoir des pigeons, par exemple. D'autres, catastrophiques : l'usage ou le transfert par les Juifs de leurs dépôts bancaires et objets de valeur furent interdits du jour au lendemain. Une lente asphyxie s'instaurait, et nous commencions à en comprendre les mécanismes : d'abord l'isolement, puis l'appauvrissement.

Jusqu'ici, les enfants étaient restés relativement à l'abri de ces mesures. Désormais, il leur fut interdit de se mêler aux écoliers non juifs. Ils devaient fréquenter des écoles et des lycées qui leur étaient réservés, où n'enseignaient que des professeurs juifs. Anne et Margot Frank avaient toujours adoré leur école. Quel n'allait pas être leur déchirement !

On vit donc s'ouvrir dans tous les quartiers d' Amsterdam des écoles pour les Juifs. Dès septembre 1941, Anne et Margot se rendirent dans un lycée juif. Que la haine s'abattît brutalement sur des adultes était déjà odieux. Nous étions bien placés pour savoir que les Allemands étaient capables de toutes les ignominies, mais s'attaquer à des enfants sans défense dépassait l'imaginable.

Nous nous sentîmes, Jan et moi, pris d'une rage impuissante devant le sort qui frappait nos amis. En face d'eux, nous nous comportions aussi normalement que possible, et ils faisaient de même à notre égard. Mais le soir venu, quand j'étais de retour à la maison, la colère et la frustration me laissaient vidée. Un sentiment obscur, mélange de honte et d'amertume, nous rongeait tous les deux.

Vint l'automne. Les jours raccourcirent. Les Allemands étaient entrés en Russie en juin, et ils continuaient leur marche inexorable à travers ces vastes territoires comme si rien ne pouvait les arrêter. Il pleuvait souvent et le ciel était toujours chargé de nuages, obscurci par le brouillard. Le ravitaillement devenait difficile. Dans l'impossibilité de trouver régulièrement les épices et les produits naturels nécessaires à nos fabrications, nous avions commencé à en stocker des ersatz, des substituts généralement de qualité inférieure.

Nos représentants sillonnaient la Hollande, et, une ou deux fois par semaine, rapportaient au 263, Prinsengracht, des commandes dont certaines provenaient des troupes allemandes en garnison dans le pays.

A leur retour, ils nous racontaient ce qu'ils avaient vu au cours de leurs déplacements dans le reste du pays : la vie continuait, en dépit de l'occupation, mais partout nos ressources — charbon, viande, fromages — étaient pillées et passaient la frontière vers l'Allemagne.

Au cours des réunions hebdomadaires du samedi chez les Frank, j'avais rencontré M. Lewin, ami de M. Frank et réfugié allemand comme lui. Il n'avait plus le droit d'exercer sa profession de pharmacien, et M. Frank lui avait permis d'installer son laboratoire dans une partie inoccupée des entrepôts à l'arrière de l'immeuble qu'occupait la Travies et Cie. De temps à autre, M. Lewin s'arrêtait dans nos bureaux en passant, et nous parlait de ses expériences. Il nous montrait parfois des crèmes de beauté qu'il avait fabriquées dans son laboratoire de fortune.

Jusqu'ici, les mesures qui avaient écarté les Juifs de leur profession et de leurs affaires, n'avaient touché ni M. Frank, ni M. Van Daan, ni la Travies Cie et Pectacon.

L'usage que M. Frank avait fait de ses dépôts et objets de valeur lorsque les nouveaux règlement bancaires avaient été institués, ne nous regardait pas. Il était toujours semblable à lui-même, chaque jour présent au bureau. Jamais il ne se plaignait ou ne parlait de sa vie privée.

Nous attendions tous la suite des événements avec anxiété. Qu'allait-il advenir si l'une des mesures antijuives rejaillissait sur M. Frank, sur M. Van Daan ou sur certains de nos clients ? Comme un flux irrésistible, les persécutions infligées par les Allemands à la population juive s'étendaient, chaque jour plus lourdes, plus accablantes. Personne ne pouvait prévoir ce qui allait arriver. Être juif, en ces temps-là, signifiait marcher sur des sables mouvants — et pour certains, s'y enliser.

M. Frank était un homme clairvoyant. Quelles que fussent ses pensées et ce qu'il ressentait personnellement en tant que Juif, je savais qu'il agirait toujours avec intelligence. C'est ainsi qu'un matin, il fit venir Jan dans son bureau, sous prétexte qu'il avait un problème personnel à discuter avec lui.

Il lui expliqua alors confidentiellement que sa position à la Travies créait un risque pour l'ensemble du personnel. Il ajouta qu'après mûre réflexion, il avait décidé de donner sa démission de directeur général. Les statuts de la société seraient officiellement modifiés. Son ami fidèle, M. Koophuis prendrait sa place.

M. Frank garderait le titre de conseil, mais continuerait en réalité à gérer l'affaire comme d'habitude. Le changement n'existerait que sur le papier.

M. Frank expliqua ensuite qu'il fallait à Pectacon un autre prête-nom d'origine chrétienne, pour plus de sécurité. Jan accepterait-il d'en devenir le directeur, avec M. Kraler comme administrateur ?

Jan se montra ravi que son vieux nom néerlandais pût servir de couverture à la société de M. Frank, et heureux d'aider un homme pour lequel il éprouvait beaucoup d'estime et d'admiration. Les ancêtres chrétiens de Jan remontaient à plus de cinq générations. Si ses origines aryennes n'étaient pas suffisantes aux yeux des nazis, dit-il à M. Frank, alors rien ne les contenterait jamais.

Les statuts de la société furent dûment signés par les autorités officielles. Le 18 décembre 1941, M. Otto Frank quitta la direction de la Travies et Cie. Pour le personnel, il restait conseiller. On imprima un nouveau papier à lettres et de nouvelles cartes de visite. La Pectacon devint la Kohlen et Cie.

La vie au Prinsengracht continua comme avant. M. Frank venait chaque jour à son bureau, qu'il avait conservé, prenait toutes les décisions, donnait toutes les directives. Rien n'était changé excepté l'emplacement de la signature, qui restait en blanc au bas des factures et des lettres. M. Frank passait le courrier à M. Koophuis ou à M. Kraler qui y apposaient la leur, parfaitement chrétienne.

En décembre 1941, notre moral remonta. Après l'attaque de Pearl Harbor par les Japonais, les Américains étaient entrés en guerre contre le Japon, et les Allemands et les Italiens, alliés des Japonais, avaient déclaré la guerre aux Américains. C'était presque trop beau pour être vrai : L'Amérique, avec toute la puissance de ses effectifs et de son aviation, s'était alliée avec l'Angleterre contre nos oppresseurs. Cette grande nation se retrouvait à nos côtés dans la lutte contre Hitler.

L'espoir grandit encore davantage en nous, lorsque nous apprîmes ce qui se passait en Russie. L'été et l'automne avaient vu Hitler envahir la Russie comme une marée montante, et soudain Radio Orange et la BBC nous annonçaient que l'hiver froid et boueux était arrivé en Russie, que les Allemands s'embourbaient, et ne progressaient plus. La BBC prédisait que les armées d'Hitler seraient anéanties, tout comme l'avaient été les armées de Napoléon. De leur côté, la radio et la presse allemandes donnaient des informations contradictoires, affirmant que Leningrad et Moscou étaient sur le point de tomber, que la reddition était imminente. Naturellement, nous désirions de toute notre âme que la BBC fût plus proche de la vérité.

En janvier 1942, les Juifs des petites villes voisines d'Amsterdam reçurent l'ordre de venir s'établir immédiatement dans la capitale. Ils durent fournir à la police la liste des biens qu'ils emportaient avec eux. Puis on leur coupa le gaz, l'électricité et l'eau, après les avoir obligés à donner à la police les clés de leurs maisons.

Le bruit courut qu'ils n'avaient même pas eu le temps de trouver où se loger, de disposer correctement de leurs biens, de mettre en ordre leurs maisons où certains habitaient depuis toujours. Ils arrivèrent à Amsterdam, chargés de ballots, poussant des voitures à bras, transportant parfois les affaires de toute une famille dans un vieux landau. Amsterdam était déjà surpeuplé. Où allait-on mettre tous ces gens ?

La fille de Mme Samson, notre logeuse, arriva de Hilversum avec son mari et ses deux enfants, âgés de cinq et trois ans. Ils sonnèrent un jour à la porte, désorientés, apeurés. Mme Samson était dans tous ses états. Que faire ? Où les loger ? L'appartement ne comprenait que quatre pièces, y compris celles que nous occupions, Jan et moi.

D'un commun accord, nous proposâmes à notre logeuse de lui rendre nos deux pièces, sans lui avouer que nous n'avions pas la moindre idée de l'endroit où aller. Pour seule réponse, elle ne sut que répéter : « Non. Non. Non. » En fin de compte, il fut décidé que s'il y avait de la place pour trois, il y en avait pour sept.

La fille, le gendre et leurs enfants s'installèrent dans une chambre. Mme Samson garda la sienne. Jan et moi, la nôtre. Nous partageâmes le salon comme une seule et grande famille. Nous étions un peu à l'étroit, mais on ne pouvait faire autrement. Au cours du dîner, le gendre faisait de son mieux pour égayer l'atmosphère. Violoniste de profession, il n'était plus autorisé à jouer, et sous sa jovialité perçaient la peur et l'angoisse qui tenaillaient toute la famille.

Jan et moi, nous sortions le plus souvent possible. Nous étions impuissants devant le sort qui frappait Mme Samson et sa famille, et faisions mine de ne pas voir leur inquiétude et leur frayeur. Le soir, nous nous rendions fréquemment chez des amis qui habitaient non loin de là, dans la Rijnstraat. Ils avaient logé Jan pendant de nombreuses années avant qu'il ne vînt vivre avec moi. Nous arrivions tôt dans la soirée et, pressés autour de la radio, nous écoutions les nouvelles, avides de capter la plus petite information diffusée sur la BBC et sur Radio Orange. Nous étions comme des enfants assoiffés, buvant chaque parole émise sur ces ondes lointaines.

Parfois, Winston Churchill nous tenait des discours passionnés. Il nous emplissait le cœur de fiel et nous infusait l'énergie nécessaire pour supporter l'occupation un jour de plus, une semaine de plus, une année de plus, aussi longtemps qu'il le faudrait jusqu'à ce que, tôt ou tard, le « bien » triomphât. La radio rapportait que les Américains fabriquaient de nouveaux bombardiers qui seraient prêts à voler dans deux ans. « Maintenant ! nous exclamions-nous. Tout de suite. C'est *tout de suite* que nous en avons besoin. Nous ne pouvons attendre deux ans.

En réalité, la situation empira rapidement. Les Allemands se mirent à nous rationner. On distribua des cartes spéciales, en plus de nos cartes de ravitaillement. Toutes les quatre ou huit semaines, nous recevions de nouveaux tickets et nos cartes étaient signées par l'administration responsable. La liste des articles que l'on pouvait acheter en échange des tickets appropriés était publiée dans les journaux. Y figuraient non seulement les produits alimentaires, mais aussi le tabac, les cigarettes et les cigares. Je trouvais habituellement tout ce dont j'avais besoin, mais à condition de tenter ma chance dans deux ou trois boutiques autres que mes fournisseurs habituels.

Nous fûmes obligés d'utiliser de l'ersatz de café et de thé ; l'un comme l'autre étaient parfumés, mais sans aucun goût. Jan manquait souvent de cigarettes. Où était le temps où il avait toujours des cigarettes dans sa poche ? Aujourd'hui, il lui fallait savourer lentement chaque bouffée. Ces restrictions nous irritaient d'autant plus que les Allemands nous volaient notre ravitaillement et nos marchandises, pour les expédier chez eux.

Après avoir privé les Juifs de leurs activités professionnelles, les Allemands commencèrent à organiser des camps de travail pour les chômeurs juifs. On les envoyait souvent vers « l'est ». Où exactement ? Personne n'en savait rien. En Pologne ? En Tchécoslovaquie ? On chuchotait que ceux qui refusaient de partir pour les camps de travail étaient déportés à Mauthausen pour y subir une peine sévère. Quant à celui qui se soumettait, il devait, si l'on en croyait les rumeurs, travailler très dur pour un salaire infime, mais au moins lui promettait-on d'être traité « correctement ».

Nous entendîmes dire que beaucoup tentaient l'impossible pour échapper aux camps. Certains, disait-on, barbouillaient leurs mains de blanc d'œuf, puis urinaient dessus avant l'analyse d'urine, afin de simuler une maladie des reins. D'autres apportaient à la visite médicale un flacon contenant les urines d'un diabétique. D'autres encore avalaient une quantité de chewing-gum telle qu'elle pouvait prendre, à la radiographie, l'aspect d'un ulcère du tube digestif. Il en fut qui burent des litres de café et prirent des bains bouillants avant de se présenter à l'examen, afin de paraître dans un tel état qu'on les déclarerait inaptes au travail.

Les Juifs n'eurent plus l'autorisation d'épouser des non-Juifs. Ils durent s'approvisionner uniquement à certaines heures, et dans certains magasins. Ils ne purent plus monter dans les tramways ni s'asseoir dans les cafés, dans leurs propres jardins ou dans les jardins publics.

Nos réunions du samedi après-midi chez les Frank avaient cessé. De même que les dîners que nous partagions parfois avec eux. Ainsi ces mesures parvenaient-elles à nous isoler de nos amis juifs. Partout dans notre quartier où les Juifs étaient nombreux, on les voyait s'appauvrir de jour en jour un peu plus. Le visage anxieux, cherchant désespérément le moyen de nourrir leurs enfants, ils chuchotaient entre eux, se taisaient à l'approche d'un passant, méfiants, les yeux baissés. Mon cœur s'alourdissait à la vue de ces malheureux.

Au cours du printemps 1942, parut un autre arrêté. Cette fois-ci, il fut publié non seulement dans le *Joodsche Weekblad*, mais dans la presse hollandaise. D'ici une semaine, tous les Juifs devraient coudre sur leurs vêtements, à la hauteur du cœur, une étoile à six branches, jaune, de la taille de la paume de la main. Cette mesure concernait *tous* les Juifs, hommes, femmes et enfants. Chaque étoile coûtait un coupon de vêtements, plus quatre centimes. Sur l'étoile jaune était imprimé le mot JOOD — « Juif ».

Le jour où cette mesure fut mise en vigueur, nombreux furent les chrétiens, ulcérés par l'humiliation infligée aux Juifs hollandais, qui portèrent également l'étoile jaune sur leurs manteaux. Beaucoup arborèrent des fleurs jaunes, emblème de leur solidarité, au revers de leurs vestes ou dans leurs cheveux. Des pancartes apparurent dans certains magasins, nous priant de traiter nos voisins juifs avec des marques de respect particulières, suggérant de soulever nos chapeaux sur leur passage, par exemple, de leur montrer par tous les moyens qu'ils n'étaient pas seuls.

Beaucoup de Hollandais firent leur possible pour exprimer leur solidarité. Cet arrêté, d'une certaine façon beaucoup plus humiliant que tous les autres, portait la fureur de notre peuple à son apogée. Étoiles et fleurs jaunes devinrent chose si commune pendant les premiers jours, que notre quartier des Rivières fut surnommé la Voie lactée, tandis que le quartier juif prenait le nom, en forme de plaisanterie, d'Hollywood. Un même élan de fierté et de solidarité gonfla les cœurs. Il fut bref. Les Allemands se mirent à matraquer les gens et à les arrêter. Un avertissement fut lancé à toute la population : quiconque porterait assistance aux Juifs, de quelque façon que ce fût, serait jeté en prison et risquerait d'être exécuté.

M. Frank vint au bureau comme d'habitude. Personne ne mentionna la présence de l'étoile jaune cousue à points réguliers sur le revers de son manteau. Nous n'y prêtâmes pas attention. Nous fîmes comme si elle n'existait pas. Pour moi, elle n'existait pas.

Bien qu'il donnât l'impression que tout était normal, je voyais bien que M. Frank était épuisé. Obligé de venir à pied au bureau, suite à l'interdiction de prendre le tramway, il parcourait quotidiennement plusieurs kilomètres. Il ne me parlait jamais des contraintes auxquelles lui et sa famille étaient soumis. Je ne posais pas de questions.

Un matin, après le café, M. Frank me fit venir dans son bureau. Il ferma la porte et planta dans le mien son regard sombre et pénétrant. « Miep, commença-t-il. J'ai un secret à vous confier. »

J'écoutai en silence.

« Miep, dit-il, Edith, Margot, Anne et moi, nous allons entrer dans la clandestinité — nous cacher. »

Il me laissa le temps de comprendre le sens de ses paroles.

« Nous allons disparaître avec Van Daan, sa femme et leur fils. M. Frank s'interrompit un moment. Je suis sûr que vous connaissez les pièces inoccupées à l'arrière de l'immeuble, où mon ami Lewin, le pharmacien, faisait ses expériences de laboratoire ? »

Je lui répondis que je connaissais l'existence de ces pièces, mais sans y être jamais entrée.

« C'est là que nous nous cacherons. »

Il resta silencieux quelques instants.

« Étant donné que vous continuerez à travailler, comme d'habitude, juste à côté de nous, il faut que je sache si vous avez des objections à formuler. »

Je n'en voyais aucune.

Il prit une profonde inspiration avant d'ajouter : « Miep, acceptez-vous de prendre la responsabilité de vous occuper de nous pendant le temps où nous resterons cachés ?

— Bien sûr. »

Il est des regards entre deux personnes, une ou deux fois au cours d'une vie, que les mots ne sauraient décrire. « Miep, ajouta simplement M. Frank, les sanctions sont impitoyables pour ceux qui aident les Juifs : la prison, et peut-être... »

Je l'interrompis. « Je vous ai dit : ''bien sûr''. Je parlais sérieusement.

— Bon. Seul Koophuis est au courant. Même Margot et Anne ne savent rien encore. Je préviendrai les autres un à un. Mais peu de gens doivent être mis dans le secret. »

Je ne posai pas d'autres questions. Moins j'en saurais, moins je pourrais en dire au cours d'un interrogatoire. Je savais que M. Frank me dirait en temps voulu qui étaient les autres, et tout ce que je devrais savoir. Je ne ressentais aucune curiosité. J'avais donné ma parole.

7.

On était au printemps 1942. Le deuxième anniversaire de l'occupation allemande approchait, et la puissance d'Hitler ne faiblissait pas. Tous nos espoirs reposaient sur les Alliés — nos alliés. En nous-mêmes, nous étions hantés par le souvenir de la présence des Espagnols au XVIe siècle, et de la guerre d'indépendance qui avait duré quatre-vingts ans.

Notre existence avait totalement changé. Les enfants jouaient aux parachutistes, sautant du haut des auvents avec un vieux parapluie. Dans les villages, on s'était passé le mot : dès qu'un avion était en vue, toutes les maisons ouvraient leurs portes afin de permettre aux enfants du voisinage de venir se réfugier à l'intérieur.

A la tombée de la nuit, comme si nous avions pratiqué le black-out pendant toute notre vie, nous fermions volets et rideaux. Nous avions pris l'habitude de faire la queue devant presque tous les magasins et d'acheter un peu plus de provisions qu'il n'en fallait. En prévision. Et nos chaises, à présent, étaient toujours placées le plus près possible de la radio.

C'étaient les Juifs qui enduraient les pires tourments. On leur avait soustrait leurs libertés, confisqué leur travail, interdit de se déplacer. Tant d'inactivité forcée était un poids très lourd à supporter. Ils avaient trop de temps pour penser, trop de temps pour avoir peur.

Eux qui, hier encore, ne se distinguaient pas des autres Hollandais, se retrouvaient soudain singularisés par le port de l'étoile jaune. L'enfant qui ignorait ce qu'était un juif auparavant, s'étonnait qu'il n'eût ni corne, ni dents de vampire — qu'il ressemblât au reste d'entre nous, et non au diable, comme le disaient les Allemands. Notre tradition hollandaise, soucieuse de ne jamais faire de différence entre les peuples, avait été bafouée. Pire encore, on voulait pervertir l'esprit de nos enfants.

La nuit, le vrombissement des bombardiers au-dessus de nos têtes troublait notre sommeil. Il y avait parfois des raids aériens, le hurlement de la sirène qui donnait l'alerte et l'attente de la note unique qui signifiait la fin des opérations. Dans notre quartier, nous n'avions pas d'abris. Habitués aux alertes, Jan et moi ne leur accordions plus d'attention. Nous nous contentions de remonter un peu plus nos couvertures, nous serrant l'un contre l'autre dans la douce chaleur du lit.

La mère de Mme Frank, Mme Hollander, mourut pendant l'hiver. Sa mort ne fit l'objet d'aucun faire-part. Les choses étant ce qu'elles étaient, les gens gardaient leurs affaires de famille pour eux-mêmes. M. Frank s'efforça toujours de ne pas accabler les autres avec ses ennuis. Et chacun montra le plus grand respect pour sa vie privée.

Un jour, M. Van Daan entra brusquement dans mon bureau. « Miep, dit-il, enfilez votre manteau et venez avec moi. »

Je laissai mon travail et lui obéis, curieuse de savoir ce qu'il me voulait.

Van Daan me précéda le long du Prinsengracht, passa le pont qui menait au Rozengracht et prit une petite rue latérale. Là, il m'emmena dans une boucherie. Voyant que je m'apprêtais à l'attendre dehors, il me fit signe de le suivre à l'intérieur.

Je restai sans mot dire à côté de lui tandis qu'il engageait la conversation avec le boucher. Ils semblaient se connaître de longue date. M. Van Daan mâchouillait la cigarette qu'il gardait constamment au coin des lèvres et bavardait, sans me prêter attention. Il finit par acheter un morceau de viande qu'on lui enveloppa dans du papier brun pour qu'il le rapporte à sa femme.

La curiosité me démangeait. Pourquoi se rendait-il chez un boucher près du bureau, alors qu'il habitait dans un autre quartier — notre quartier, au sud d'Amsterdam — où il y avait autant de bouchers qu'on en voulait ? Je ne lui posai pas de question. Il ne me donna aucune explication, et nous regagnâmes le bureau.

Plusieurs fois au cours des mois suivants, M. Van Daan allait me demander de l'accompagner chez le même boucher. Je lui obéissais, sans cesser de me demander pourquoi il faisait ses courses aussi loin de chez lui. A chaque fois, il engageait amicalement la conversation avec l'homme, achetait un petit morceau de viande, tandis que je restais sans rien dire à ses côtés, attendant qu'il me fasse signe de rentrer avec lui au bureau. Peut-être me donnerait-il un jour une explication.

Vers la fin du mois de mai, la BBC annonça que la Royal Air Force avait effectué son premier raid massif en Allemagne. La cible choisie était Cologne, près de la frontière hollandaise, le long du Rhin. Nous retînmes notre souffle en entendant la BBC rapporter qu'un millier de bombardiers participaient au raid.

Dorénavant, la nuit, je restais aux aguets lorsque j'entendais le vrombissement des avions couvrir le martèlement de l'artillerie antiaérienne allemande et regardais dans l'obscurité, à travers les rideaux du black-out, les faisceaux des projecteurs balayer le ciel. Les bombardiers faisaient route vers les régions industrielles d'Allemagne, les usines et autres installations importantes. Gardez une bombe pour Hitler, priais-je.

Pendant ce temps, la persécution des Juifs se poursuivait sans relâche. Interdiction de sortir de chez eux entre huit heures du soir et six heures du matin. Interdiction de pénétrer dans les maisons, les jardins ou autres lieux appartenant à la communauté chrétienne. Mélanger les chrétiens et les Juifs était devenu un crime.

Puis, le coup le plus bas fut porté. En juin, les Juifs durent remettre leurs bicyclettes aux Allemands. Non seulement le propriétaire d'une bicyclette devait la remettre lui-même, mais il était responsable de son parfait état de marche. Se retrouver sans vélo était la pire chose qui pût arriver à un Hollandais.

Les réfugiés

Comment un Juif pourrait-il se déplacer d'un endroit à un autre, à présent ? Comment pourrait-il se rendre à son travail, s'il avait encore du travail ? Que feraient des fillettes comme Margot et Anne Frank sans leurs solides vélos noirs ?

C'était le premier dimanche de juillet, par une chaude soirée d'été. Nous avions terminé notre dîner avec Mme Samson et sa famille, et chacun vaquait à ses occupations.

En ces temps-là, tout ce qui était inhabituel prenait immédiatement un caractère inquiétant, et quand résonna le carillon insistant de notre sonnette, la tension monta dans l'appartement. Nous nous regardâmes les uns les autres. Rapidement, Jan alla à la porte et je le suivis. Herman van Daan se tenait sur le seuil, dans un état d'agitation extrême. Nous lui parlâmes à voix basse, ne voulant pas inquiéter les autres.

« Venez tout de suite, nous pressa-t-il d'une voix étouffée. Margot Frank a reçu une convocation pour le travail obligatoire en Allemagne. Elle doit se présenter immédiatement avec une valise contenant des vêtements d'hiver. Les Frank ont décidé d'entrer dès aujourd'hui dans la clandestinité. Pouvez-vous venir immédiatement prendre les affaires dont ils auront besoin dans la cachette ? Ils n'ont pas terminé leurs préparatifs.

— Nous arrivons », dit Jan. Être surpris chargés de sacs et de paquets comportait un trop grand risque. Nous enfilâmes nos imperméables, sous lesquels nous pourrions dissimuler beaucoup de choses. Il semblerait peut-être bizarre de porter des vêtements de pluie par une chaude nuit d'été, mais cela valait mieux que de déambuler dans les rues avec des bagages.

Jan donna une explication quelconque à Mme Samson afin de ne pas l'inquiéter, et nous suivîmes M. Van Daan. Le jour où M. Frank m'avait confié son projet d'entrer dans la clandestinité, j'avais rapporté le soir même notre conversation à Jan. Sans discussion, Jan avait affirmé qu'il apporterait son soutien inconditionnel aux Frank. Leur plan lui paraissait se tenir. Mais nous ne nous attendions pas à voir les événements se précipiter. D'un pas pressé, mais sans hâte excessive de façon à ne pas attirer l'attention, nous prîmes la direction de la place de la Merwede. En chemin, M. Van Daan nous raconta que M. Frank venait tout juste d'annoncer à ses filles qu'ils allaient se cacher, sans toutefois leur préciser où.

« Comme vous pouvez l'imaginer, expliqua-t-il, ils sont aux cent coups. Il leur reste tellement à faire en si peu de temps, sans compter leur fichu locataire qui ne cesse de tourner autour d'eux, ce qui ne simplifie pas les choses. »

Une impression d'urgence s'empara de moi. Recruter une jeune fille de seize ans pour le travail obligatoire était une abomination de plus de la part des Allemands. Oui, songeai-je, plus tôt nos amis seront mis à l'abri, mieux ce serait. Et combien d'autres jeunes juives comme Margot avaient-elles été convoquées ? Des jeunes filles qui n'avaient pas M. Frank pour père, qui n'avaient aucun endroit où aller se cacher ? Des jeunes filles qui, ce soir, étaient sans doute en proie à une peur abominable. A cette pensée, je dus me retenir pour ne pas faire le reste du trajet au pas de course.

Dans l'appartement des Frank, nous échangeâmes peu de mots. Leur hâte, presque leur panique, était sensible. Il restait tant de choses à organiser, à préparer. C'était affreux. Mme Frank nous tendit des piles d'affaires. Des vêtements et chaussures d'enfants, apparemment, mais j'étais moi-même si bouleversée que je ne regardais pas ce que je prenais. J'amassais un maximum de choses sous mon imperméable, dans mes poches. Jan faisait de même. Il était prévu que j'irais plus tard porter toutes ces affaires à la cachette, lorsque nos amis y seraient installés en sécurité.

Nos imperméables bourrés à craquer, Jan et moi fîmes le trajet inverse jusque chez nous, pressés de nous délester. Nous cachâmes le tout sous notre lit et repartîmes en vitesse place de la Merwede pour un second chargement.

Par sa présence dans l'appartement, le locataire des Frank les obligeait à faire comme si de rien n'était. Chacun s'efforçait de paraître normal, de ne pas courir, de ne pas élever la voix. On nous confia à nouveau d'autres vêtements. Mme Frank empaquetait, triait, ajoutait sans cesse à ce que nous prenions. Une mèche de cheveux, échappée de son chignon, lui tombait sur les yeux. Anne entra, les bras chargés d'affaires. Il y en avait trop et Mme Frank lui dit de les remporter dans sa chambre. Anne ouvrait des yeux comme des soucoupes, remplis à la fois d'excitation et de frayeur.

Jan et moi prîmes le plus possible et nous filâmes.

Le lendemain, à l'aube, le bruit de la pluie me réveilla.

Avant sept heures trente, comme nous en étions convenus la veille au soir, je déposai ma bicyclette devant le porche des Frank. Margot sortit de l'appartement. Sa bicyclette était rangée dehors. Elle ne l'avait pas remise aux Allemands, contrairement aux instructions. M. et Mme Frank restèrent à l'intérieur ; Anne se tenait en chemise de nuit dans l'embrasure de la porte, les yeux écarquillés.

Je devinai que Margot portait le maximum de vêtements sur elle. M. et Mme Frank me regardèrent longuement au fond des yeux.

Je fis un effort pour les rassurer. « Ne vous inquiétez pas. Il pleut à torrents. Même la police verte hésitera à mettre le nez dehors. La pluie nous protégera ».

« Allez, nous pressa M. Frank, parcourant la place du regard. Anne, Edith et moi, nous vous rejoindrons plus tard dans la matinée. Partez, maintenant. »

Sans un regard en arrière, Margot et moi enfourchâmes nos vélos. Puis nous nous éloignâmes rapidement de la place de la Merwede, direction du nord. Nous pédalâmes sans nous arrêter, pas trop vite, de façon à ressembler à deux jeunes ouvrières qui vont travailler comme d'habitude le lundi matin.

Il n'y avait pas un seul agent de la police verte dehors, sous ce déluge. J'enfilai les artères principales où la circulation était intense, jusqu'à la Waalstraat, avant de prendre à gauche vers le Noorder Amstellaan jusqu'à la Ferdinand Bolstraat, ensuite la Vijzelstraat jusqu'au Rokin, la place du Dam et la Raadhuisstraat. Je tournai enfin sur le Prinsengracht, heureuse comme je ne l'avais jamais été de retrouver notre rue pavée et l'eau sombre du canal.

Margot et moi n'avions pas échangé un mot durant tout le trajet. Nous savions toutes les deux qu'à partir du moment où nous étions montées sur nos bicyclettes, nous étions devenues des criminelles : une aryenne en compagnie d' une juive qui ne portait pas son étoile jaune, qui roulait sur une bicyclette illégale et qui venait de recevoir l'ordre de rejoindre un groupe du STO en partance pour une région inconnue de l'Allemagne hitlérienne. Aucune crainte ne se lisait sur le visage de Margot. Elle ne trahissait rien de ce qu'elle ressentait au plus profond d'elle-même. Nous étions d'un seul coup devenues deux alliées contre la bête allemande qui rôdait autour de nous.

Il n'y avait âme qui vive sur le Prinsengracht. Nous portâmes nos bicyclettes dans l'entrepôt. J'ouvris la porte d'entrée des bureaux et la refermai vivement. Nous étions à tordre. Je m'aperçus que soudain Margot ne tenait plus sur ses jambes.

Je la pris par le bras, lui fis traverser le bureau de M. Frank et monter l'escalier jusqu'à la cachette. Les employés n'allaient pas tarder à arriver. Je craignais que quelqu'un ne nous surprît, mais je n'en dis rien.

Margot semblait tout à coup pétrifiée, en état de choc. Je la sentais bouleversée, prête à s'effondrer, maintenant que nous étions à l'intérieur. Quand elle ouvrit la porte, je lui serrai le bras pour lui donner du courage. Nous n'avions toujours pas échangé un seul mot. Elle disparut derrière la porte et je m'installai à ma place habituelle.

Le cœur battant, je restai assise à mon bureau, incapable de me concentrer sur mon travail. Cette averse nous avait sauvées. Il y avait une personne en sécurité à l'intérieur de la cachette. Il faudrait que la pluie en protège trois autres.

Quand il arriva, M. Koophuis emmena la bicyclette de Margot je ne sais où. Peu de temps après son départ, j'entendis le magasinier arriver, ôtant à grand bruit l'eau de ses chaussures.

Tard dans la matinée, M. et Mme Frank et Anne poussèrent la porte du bureau de devant. J'attendais cet instant ; je me précipitai au-devant d'eux et les fis rapidement traverser le bureau de Kraler et monter l'escalier. Il étaient tous les trois trempés jusqu'aux os. Ils transportaient quelques effets personnels et portaient l'étoile jaune cousue sur leurs vêtements. Je leur ouvris la porte et la refermai dès qu'ils eurent disparu à l'intérieur.

Dans l'après-midi, m'assurant qu'il n'y avait personne dans les parages, je montai l'escalier et m'introduisis à mon tour dans la cachette, refermant soigneusement la porte derrière moi.

C'était la première fois que je pénétrais dans ces pièces et je restai clouée sur place devant le spectacle qui s'offrit à mes yeux. Des sacs, des cartons, des provisions, des piles de vêtements s'amoncelaient partout dans un désordre indescriptible. Comment tout cela était-il parvenu jusqu'ici ? Je n'avais jamais remarqué la moindre allée et venue. Peut-être quelqu'un avait-il apporté tout cela de nuit, ou le dimanche, quand les bureaux était fermés.

Il y avait deux petites pièces à cet étage. L'une était rectangulaire, l'autre étroite et en longueur. Toutes deux comportaient une fenêtre. Les murs étaient lambrissés, le bois peint en vert foncé ; le papier mural, vieux et jaunâtre, se décollait par endroits. Les fenêtres étaient tendues de rideaux de fortune, blancs et épais. Les toilettes étaient installées dans une autre pièce à côté, avec un cabinet de toilette plus loin.

En haut d'un vieil escalier en bois se trouvait une grande pièce équipée d'un évier, d'un fourneau et d'armoires. Ici aussi les fenêtres étaient protégées par des rideaux. Derrière, un autre escalier branlant menait à un grenier. Il passait par un réduit mansardé, également rempli d'affaires qui s'empilaient jusqu'au plafond.

Mme Frank et Margot avaient l'air perdues, épuisées, en état de totale léthargie. On les aurait dit incapables de remuer le petit doigt. Anne et son père faisaient tout ce qu'ils pouvaient pour mettre un peu d'ordre dans ce capharnaüm, déballant, rangeant, transportant, faisant de la place. Je demandai à Mme Frank ce que je pouvais faire pour eux.

Elle secoua la tête. Je suggérai : « Voulez-vous que je vous apporte quelque chose à manger ? »

Elle acquiesça. « Peu de choses, Miep — peut-être du pain et un peu de beurre ; du lait aussi ? »

C'était à vous fendre l'âme. Je préférai les laisser seuls ensemble. Qui pouvait imaginer leur détresse, leur désespoir à l'idée d'avoir laissé derrière eux tout ce qu'ils possédaient au monde — leur maison, des biens rassemblés tout au long d'une vie, le petit chat d'Anne, Moortje. Les souvenirs du passé. Et leurs amis.

Ils avaient simplement refermé la porte sur leurs vies, ils avaient disparu d'Amsterdam. C'était cela que je lisais sur le visage de Mme Frank. Je les laissai.

Dans la clandestinité

8.

Quelques jours après être entré dans la clandestinité avec toute sa famille, M. Frank nous demanda d'aller, mine de rien, nous renseigner auprès du locataire de son appartement place de la Merwede, afin de savoir ce qui s'était passé après leur disparition, si les Frank étaient recherchés. Tôt dans la soirée, après la tombée de la nuit, Jan et moi lui rendîmes une petite visite.

C'est le locataire des Frank lui-même, un Juif d'âge moyen, qui vint répondre au coup de sonnette et nous conduisit dans l'appartement. L'air innocent, nous demandâmes des nouvelles de M. Frank. « M. Frank n'est pas venu au bureau ces temps derniers. Nous nous demandions s'il n'était pas tombé malade.

— Les Frank ont disparu, répondit l'homme. Puis il se leva, quitta la pièce, et revint avec une feuille de papier à la main. Voici ce que j'ai trouvé, expliqua-t-il, en montrant à Jan une adresse inscrite sur le papier. Je suppose que c'est une adresse à Maastricht. »

Nous examinâmes l'adresse. Quelqu'un qui aurait voulu s'enfuir serait en fait passé par Maastricht, à la frontière de la Belgique et de l'Allemagne. « M. Frank a de la famille en Suisse, avança-t-il ; peut-être sont-ils partis en Suisse ? »

Il secoua la tête. « Les gens du quartier disent que M. Frank s'est enfui, grâce à un ancien camarade de régiment. Un voisin a même raconté qu'on avait vu toute la famille partir dans une grosse voiture. On ne sait pas trop. » Il haussa les épaules. Il ne semblait pas ému outre mesure. Personne ne s'étonnait plus de voir ses amis disparaître.

« Je vais rester ici, nous dit-il en parcourant l'appartement des yeux. Si je le peux, ajouta-t-il. Je suis juif, moi aussi, vous savez. »

Sans manifester une trop grande curiosité, je jetai un coup d'œil autour de moi. Je cherchais le chat d'Anne, Moortje, sachant bien que ce serait la première chose qu'elle me demanderait à notre retour, lorsque nous relaterions notre visite dans leur maison. Il n'y avait aucune trace du chat.

Avant de nous en aller, Jan demanda au locataire d'avoir la gentillesse de nous prévenir s'il apprenait où se trouvaient les Frank. Il promit de le faire.

« Et Moortje ? avez-vous vu mon chat, Moortje ? Est-ce que le locataire s'en occupe ou l'a-t-il abandonné ? interrogea immédiatement Anne lorsque je vins prendre la liste des commissions, le lendemain matin. Et mes vêtements, mes affaires — avez-vous pu me rapporter quelques-unes de mes affaires, Miep ? Dites, Miep ? »

M. Frank lui expliqua calmement : « Voyons, Anne, Miep ne pouvait rien rapporter de la maison... il faut que tu comprennes. » Et tandis qu'il continuait de lui expliquer, je remarquai un sang-froid nouveau chez M. Frank, une sorte de sérénité. D'un tempérament nerveux, il offrait aujourd'hui l'apparence d'un homme tranquille et maître de lui et je compris qu'il voulait par cette attitude donner l'exemple aux autres.

Anne n'en avait pas terminé avec ses questions. « Et mes amis... Qui est resté là-bas ? Y en a-t-il qui sont partis se cacher comme nous ? Ont-ils été pris dans une rafle ? »

Anne était émotive, impressionnable, avide de nouvelles. Ils se rassemblèrent tous autour de moi et je racontai ma visite avec Jan, place de la Merwede. Ils voulurent connaître tous les détails.

« Qu'est-il arrivé à Jopie ? demanda Anne lorsque j'eus terminé mon récit. Est-ce qu'elle va bien ? »

Jopie était l'amie d'Anne, une fillette de son âge qui habitait en face de chez nous, dans la Hunzestraat. Anne savait que je rencontrais parfois la mère de Jopie, une couturière d'origine française. Son mari, antiquaire, était juif. Pas elle. Ils logeaient au-dessus de la crémerie, et je croisais parfois la mère de Jopie dans la rue en allant chercher mon lait. Elle était toujours seule.

« Oui, Anne, j'ai vu la mère de Jopie. Elle n'a pas changé. Sa famille habite toujours là. »

Le visage d'Anne s'assombrit. Elle voulait en savoir plus. Ses amies lui manquaient.

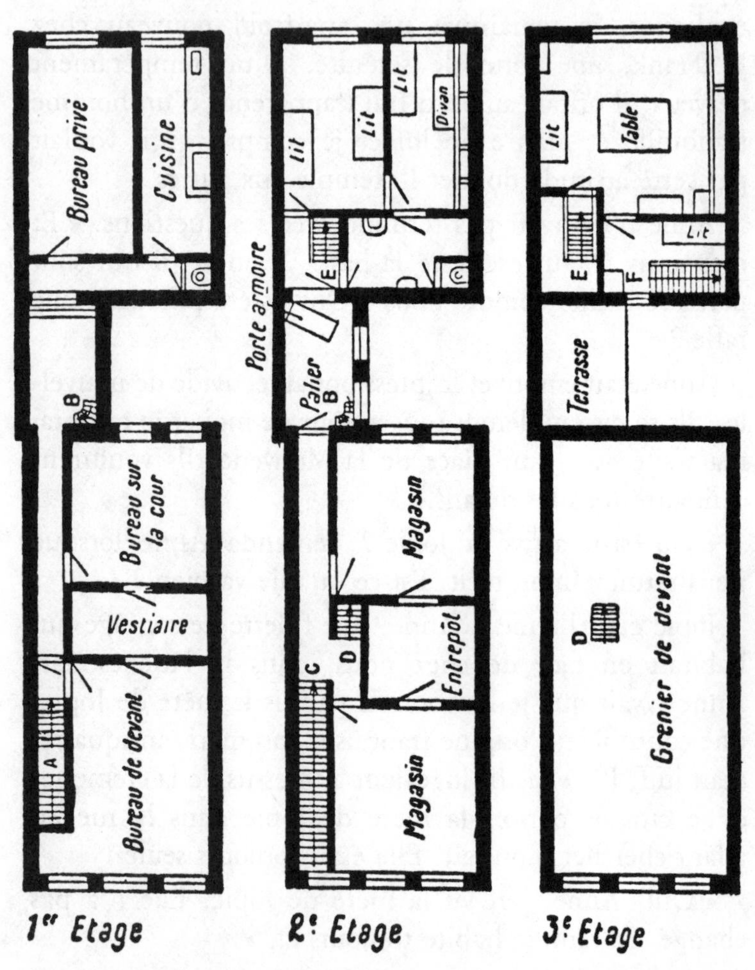

Au 2e étage, la porte-armoire du palier fait communiquer la maison avec l'Annexe.

Je m'efforçai de lui faire comprendre que je ne pouvais rien dire d'autre, qu'il serait trop dangereux de chercher à se renseigner.

« Et que se passe-t-il dehors ? » demanda M. Frank, désireux d'avoir des échos de ce monde extérieur auquel il n'appartenait plus.

Je leur racontai ce que je savais. Je parlai des rafles qui avaient lieu dans différents endroits de la ville. Je leur racontai que de nouvelles mesures interdisaient aux Juifs d'avoir le téléphone, que le prix pour obtenir de faux papiers d'identité battait des records.

« Et Jan — est-ce qu'il va venir nous rendre visite après déjeuner ? demanda Anne.

— Oui, promis-je, quand les employés en bas seront partis manger. Il en sait plus que moi sur ce qui se passe en ville. Beaucoup plus. »

Les visages s'éclairèrent en apprenant la venue de Jan. « Et Elli montera vous dire bonjour pendant le déjeuner. » La perspective de futures visites leur faisait plaisir. Ils brûlaient de nous voir le plus souvent possible.

Jo Koophuis se rendit souvent dans la cachette ; il n'arrivait jamais les mains vides. Il y avait quelque chose de particulièrement chaleureux chez cet homme. M. Kraler aussi monta voir nos amis ; il venait parfois discuter de questions de travail avec M. Frank, ou bien il apportait la revue *Cinéma et Théâtre* à Anne, passionnée par les chroniques et les photos de stars de cinéma.

L'ordre s'instaurait progressivement dans la cachette. Les affaires étaient rangées dans le grenier, avec les vieilles archives du bureau. L'impression d'un foyer se créait petit à petit — la vieille cafetière de tous les jours, les livres de classe des enfants, une brosse à cheveux qui traînait.

Anne avait collé sur le mur de sa chambre ses photos de vedettes de cinéma — Ray Milland, Greta Garbo, Norma Shearer, Ginger Rogers ; Lily Bouwmeester, la célèbre actrice hollandaise ; Heinz Ruhmann, l'acteur allemand. Des illustrations qu'elle aimait particulièrement — une publicité pour notre procédé de fabrication de confiture ; la *Pietà* de Michel-Ange ; une grosse rose rose ; des chimpanzés en train de prendre le thé ; la princesse Elizabeth d'York ; des photos de délicieux bébés, découpées dans les journaux. Anne adorait autant les photos de bébés que les photos d'acteurs de cinéma.

Anne et Margot partageaient la longue pièce étroite au premier étage de la cachette. M. et Mme Frank s'étaient installés à côté, dans la plus grande pièce. La pièce du haut servait de salle de séjour et de cuisine, d'endroit où passer la journée, car elle se trouvait à deux étages au-dessus des bureaux, et le bruit risquait moins de s'entendre. Mais le silence régnait dans la cachette pendant les heures où travaillaient les employés. Pas de bruit de chasse d'eau ; pas de grincement de chaussures dans l'escalier en bois. Chacun restait immobile et silencieux, et attendait que l'un de nous vînt apporter les nouvelles, après le départ des employés.

Mme Frank me parut très déprimée pendant les premiers jours. Margot aussi restait silencieuse et réservée. Toujours aussi gentille, aussi complaisante, elle avait une façon bien à elle de se faire toute petite. Elle ne se mettait jamais en avant ; ne demandait jamais rien.

Chaque jour, j'apportais une partie des affaires que nous avions emportées chez nous, la veille du départ pour la cachette.

Chaque matin, avant toute chose, à l'heure de la pause, je montais l'escalier sur la pointe des pieds et j'allais demander sa liste de courses à Mme Frank. Elle me donnait de l'argent, ou bien je prélevais quelques billets dans la caisse en bas, que je remboursais par la suite. Puis, sans laisser à Anne le temps de me bombarder de questions, je lui promettais de revenir plus tard, et de rester bavarder avec elle.

Les rafles s'étendaient ; les Juifs cherchaient frénétiquement des endroits où se cacher. Certains commirent des tentatives désespérées, souvent téméraires, pour gagner la frontière belge. Tout le monde était en quête d'une « adresse sûre ». Une « adresse sûre », une cachette, était brusquement devenue le bien le plus précieux. Mieux qu'un emploi chez un diamantaire, plus précieux qu'un tas d'or. Les gens auraient donné tout ce qu'ils possédaient pour obtenir une indication leur permettant de trouver un abri sûr.

La fille de Mme Samson et son gendre, M. et Mme Coenen, étaient désespérément en quête d'un moyen d'entrer dans la clandestinité. En ce début du mois de juillet, les rafles se poursuivaient et s'étendaient à de nombreux quartiers d'Amsterdam et ils craignaient le pire pour eux-mêmes et pour leurs deux petits enfants. Ils trouvèrent enfin ce qu'ils cherchaient.

Dès qu'ils détinrent l'adresse d'une cachette, ils voulurent nous en informer, mais Jan et moi avions rapidement appris qu'il valait mieux en savoir le moins possible sur les autres. Qui sait ce dont les Allemands étaient capables lorsqu'ils vous prenaient ? Ces barbares ne reculaient devant aucune torture.

C'est en les voyant faire leurs préparatifs que nous sûmes que leur départ était imminent. A la vue de la panique qui les envahissait à l'idée de s'en aller, Jan les prévint de ne pas s'approcher de la gare centrale. « La police verte patrouille jour et nuit dans les parages. Ce serait de la folie de vous diriger par là. »

Nous n'en dîmes pas plus à ces malheureux, accompagnés de leurs petits enfants qui ne comprenaient rien à toute cette agitation. Nous ne leur posâmes aucune question et ils ne prononcèrent pas un mot.

Un soir, quand nous rentrâmes à la maison, ils n'étaient plus là.

Il y avait eu une recrudescence des rafles dans toute la ville, ce jour-là, et Mme Samson nous annonça que son gendre, sa fille et leurs enfants avaient brusquement décidé de se rendre dans la cachette qu'on leur avait indiquée. Elle était encore très secouée par leur départ. Pensant qu'elle serait plus tranquille dans un endroit sûr jusqu'à la fin des rafles, je lui proposai qu'elle aille passer la nuit chez mes parents adoptifs. Elle accepta, et je m'occupai rapidement de son installation.

Un peu après minuit, on sonna à la porte. Jan et moi étions couchés. Le tintement de la sonnette nous glaça. Jan me conseilla de ne pas bouger et alla ouvrir. Trop inquiète pour rester tranquille, je le suivis jusqu'à la porte. Une femme se tenait sur le seuil. Avec elle — l'un à son côté, et l'autre dans ses bras — se trouvaient, tout ensommeillés, les deux enfants de la fille de Mme Samson.

Le femme expliqua que les parents avaient été arrêtés par la police verte à la gare centrale.

Je lui pris la petite fille qu'elle me tendait. Elle poussa le petit garçon vers Jan qui le serra dans ses bras. « On m'a donné des instructions pour amener ces enfants à cette adresse. » Elle n'en dit pas plus ; elle fit demi-tour, et disparut comme elle était arrivée dans l'obscurité. Nous restâmes cois, partageant les mêmes pensées : Qui était-elle ? Était-elle juive ou chrétienne ? Pourquoi les Allemands l'avaient-ils autorisée à emmener deux enfants juifs ?

Nous portâmes les enfants dans la cuisine, et après leur avoir donné du lait chaud et du pain beurré, nous les mîmes au lit.

Mme Samson revint le lendemain et trouva ses petits-enfants à la maison. Elle essaya de leur faire raconter ce qui était arrivé à leurs parents, mais ils étaient trop petits pour comprendre et nous ne pûmes rien apprendre d'eux. Leurs parents avaient simplement disparu entre les mains des Allemands.

Maintenant plus que jamais, il fallait trouver un endroit où cacher ces petits. Nous entreprîmes des recherches discrètes. Une organisation d'étudiants à Amsterdam détenait des adresses de gens qui cachaient des enfants. Par cet intermédiaire, la petite fille fut emmenée, en moins d'une semaine, dans une cachette à Utrecht. Le petit garçon partit ensuite à Eemnes.

Puis il fallut s'occuper de trouver une « adresse sûre » pour Mme Samson. Chaque jour qui passait, la vie devenait de plus en plus difficile pour les Juifs d'Amsterdam. Elle devait partir le plus tôt possible, si elle voulait échapper aux rafles.

L'annonce que dix églises chrétiennes en Hollande s'étaient liguées pour envoyer un télégramme public de protestation aux plus hautes autorités allemandes, réconforta tous les cœurs. Ensemble, ces églises exprimaient leur profonde « indignation » devant les déportations des Juifs organisées par les Allemands. Elles qualifiaient ces mesures d'« illégales », et accusaient l'occupant d'agir contre la morale hollandaise et contre les « divins commandements de justice et de charité ».

Les Allemands ignorèrent le message.

Une semaine après l'entrée des Frank dans la clandestinité, en montant chercher la liste des courses comme d'habitude, je découvris un matin que Herman van Daan, sa femme, Petronella, et leur fils de seize ans, s'étaient installés dans la cachette. Le fils s'appelait Peter. C'était un beau et solide garçon, avec d'épais cheveux noirs, des yeux rêveurs, et un agréable caractère.

L'arrivée des Van Daan était prévue, mais ils avaient dû avancer la date de leur fuite à cause des nouvelles rafles qui ébranlaient tout Amsterdam. Contrairement à la tristesse des Frank le jour de leur installation, les Van Daan étaient fous de joie à l'idée de se retrouver en sécurité dans cette confortable cachette. Ils ne tarissaient pas de détails sur les horreurs auxquelles on assistait à Amsterdam ; sur tout ce qui était arrivé à leurs amis juifs en une seule semaine, depuis le jour où les Frank avaient disparu.

Peter avait emmené avec lui son chat Mouschi. C'était un maigre matou noir, vif et extrêmement caressant. Anne s'attacha très vite à Mouschi, bien qu'elle se sentît encore triste d'être séparée de son Moortje, dont elle parlait souvent avec regret. Mouschi se sentit tout de suite chez lui.

Chacun s'installa. M. et Mme Frank restèrent dans leur chambre, Margot et Anne continuèrent à partager la petite pièce en longueur près du cabinet de toilette. M. et Mme Van Daan dormirent dans la grande pièce au-dessus des Frank, et le jeune Peter prit la toute petite pièce près de ses parents, sous l'escalier qui montait au grenier encore rempli d'affaires diverses.

Dans la journée, les Van Daan repliaient leur lit contre le mur et tout le monde venait passer la journée dans leur chambre-salon-cuisine, quittant l'étage inférieur situé juste au-dessus des bureaux, chacun s'efforçant de créer l'atmosphère la plus confortable possible dans ces circonstances.

Les Van Daan racontèrent avec des larmes dans la voix comment la ligne 8 du tramway avait été réquisitionnée pour le transport des Juifs à la gare centrale. Anne, Margot et Mme Frank blêmirent à ces récits. Parmi ces Juifs, serrés côte à côte dans les voitures, se trouvaient leurs propres amis et voisins. On voyait des tramways entiers bondés de Juifs qui portaient l'étoile jaune et le petit baluchon auquel ils avaient droit.

Ils étaient ensuite embarqués dans des trains spéciaux à la gare centrale, à destination d'un endroit appelé Westerbork. C'était une sorte de camp, à des kilomètres d'Amsterdam, en Drenthe, non loin de l'Allemagne. J'entendis dire que certains avaient jeté des cartes postales et des lettres par les fenêtres du train, dans l'espoir qu'un inconnu les posterait. Certaines d'entre elles étaient parvenues à leur destinataire, parent ou ami, et disaient vers quel endroit étaient partis ces hommes et ces femmes.

Après l'arrivée des Van Daan, il me fallut demander la liste des courses aux deux maîtresses de maison. Le premier jour, M. Van Daan me tendit une commande pour le boucher. Je secouai la tête. Nos tickets de ravitaillement ne suffiraient pas à nous procurer une telle quantité de viande.

M. Van Daan rit, son éternelle cigarette au coin des lèvres. « Vous rappelez-vous la boucherie du Rozengracht où vous êtes souvent venue avec moi ?

— Oui, très bien, répondis-je.

— Allez voir cet homme, expliqua-t-il, remettez-lui ma liste. Ne dites rien, il vous donnera ce que nous désirons. »

Je le regardai d'un air sceptique.

« Ne vous inquiétez pas — M. Van Daan rit, les yeux pleins de malice. Cet homme vous a vue plusieurs fois avec moi. Il connaît votre visage. C'est un de mes bons amis. Vous verrez, il vous donnera ce que vous voulez, s'il le peut. »

Je compris enfin le but de ces étranges visites chez le boucher et ne pus retenir un éclat de rire.

Et comme promis, sans qu'une seule parole fût jamais prononcée, le boucher, après m'avoir attentivement regardée, me donna toujours, dans la mesure du possible, ce que M. Van Daan avait inscrit sur la liste.

La plupart du temps, Jan venait déjeuner vers midi avec moi. Son bureau se trouvait dans la Marnixstraat, à sept minutes de marche du Prinsengracht. Une ou deux fois par semaine, cependant, il devait se rendre dans un autre service du Bureau de l'aide sociale de la ville d'Amsterdam, trop éloigné pour qu'il pût me rejoindre.

Après le déjeuner, nous montions ensemble le petit escalier qui grimpait jusqu'à la cachette pour rendre visite à nos amis. Jan s'attardait parfois plus d'une demi-heure, pendant que les employés étaient sortis. Il s'asseyait toujours sur le rebord du buffet placé contre le mur, ses longues jambes étirées devant lui. Mouschi ne tardait pas à faire son apparition dans la pièce et lui sautait dans les bras. Le chat de Peter avait une passion pour Jan.

Avant que quiconque pût prononcer un mot, M. Van Daan réclamait ses cigarettes. Jan lui donnait ce qu'il avait pu acheter au marché noir dans le vieux quartier du Jordaan, tout près du bureau. Il lui arrivait de rapporter des cigarettes égyptiennes, d'une marque appelée Mercedes, ou des cigarettes fabriquées en Hollande, qui n'avaient pas trop mauvais goût.

Van Daan allumait une cigarette et demandait ensuite : « Alors, que se passe-t-il en ville, quelles sont les nouvelles de la guerre ? » Jan donnait toutes les informations qu'il possédait, et la discussion commençait entre les hommes, de la même façon que se déroulaient nos conversations entre femmes. Excepté pour Anne. Désireuse de tout savoir, toujours au premier plan des discussions, celles des hommes comme celles des femmes, c'était la plus curieuse, la plus spontanée. Elle nous accueillait avec un véritable bombardement de questions, elle voulait toujours davantage de renseignements.

Étant désormais clandestins, les Frank et les Van Daan ne purent garder leurs cartes de rationnement. Avec sept bouches à nourrir, nous avions un besoin urgent de tickets. Jan s'était fait quelques relations utiles dans certaines organisations de la résistance. Il demanda à nos amis de lui confier leurs cartes d'identité, ce qu'ils firent sans poser de question.

Munis de ces papiers, Jan les apporta à ses contacts pour prouver qu'il avait bien sept clandestins à nourrir, et revint avec des tickets volés ou faux qu'il me remit et que j'utilisai désormais pour le ravitaillement.

Jan connaissait un libraire qui s'occupait d'une bibliothèque de prêt dans la Rijnstraat, à l'enseigne de « chez Como ». Une fois par semaine, Jan demandait à nos amis ce qu'ils aimeraient lire. Il se rendait ensuite « chez Como » et cherchait à satisfaire chaque demande. Il arrivait habituellement à contenter tous les désirs, et empruntait une pile de livres pour quelques florins.

Je faisais généralement la livraison des nouveaux livres le samedi, afin d'aider nos amis à occuper leur week-end solitaire. Je rassemblais par la même occasion les livres qui étaient terminés. Ils passaient tant d'heures à lire qu'ils en arrivaient chacun à dévorer tous les ouvrages que j'apportais.

Jan, Koophuis, Kraler, Elli, et moi, nous fîmes notre possible pour répartir également les visites. Enfermés dans leurs quatre petites pièces, nos amis étaient toujours impatients de nous voir. Les journées leur paraissaient interminables. La seule bouffée d'air frais venait du grenier, où une lucarne dans le plafond s'ouvrait sur un morceau de ciel et la tour de la Westerkerk. On y mettait le linge à sécher ; des sacs entiers de nourriture y étaient stockés, avec des vieux cartons remplis de dossiers. Peter aimait bricoler dans le grenier, où il avait fabriqué un petit établi. Anne et Margot s'y réfugiaient pour lire.

Nos visites avaient pris un rythme régulier. Tôt dans la matinée, j'étais la première à monter, premier visage après une longue nuit passée à l'écart du monde. Mais je ne venais pas pour bavarder, je prenais rapidement la liste des commissions, m'enquêtais des besoins pour la journée. A l'heure du déjeuner, c'était le tour d'Elli, qui partageait un peu du repas préparé par Mme Frank ou par Mme Van Daan. Jan arrivait ensuite, pour discuter des nouvelles du jour avec les hommes.

Puis, à l'heure de la pause de l'après-midi, je montais les provisions et m'attardais plus longuement. M. Frank et M. Van Daan étant les deux experts en affaires, Koophuis et Kraler avaient souvent besoin de leur avis sur certains problèmes. A la fin de la journée, après le départ du dernier employé, l'un de nous montait prévenir nos amis qu'ils pouvaient bouger normalement, parler normalement, sans craindre de faire du bruit.

Pendant les premières semaines, aucun de nous ne s'engagea dans l'escalier de la cachette sans se retrouver avec une bosse sur le front. Il m'arriva de me cogner si fort contre le plafond bas au-dessus de la marche, que la douleur me faisait venir les larmes aux yeux. Nous nous heurtâmes tous la tête à tour de rôle — tous excepté Jan, le plus grand d'entre nous, qui n'oubliait jamais de se baisser — et nos bosses devinrent un sujet de plaisanterie. Quelqu'un finit par clouer un vieux chiffon à cet endroit et le problème disparut.

Dès les tout premiers jours, Anne m'avait demandé, « Miep, pourquoi ne venez-vous pas passer la nuit ici avec Jan ? Je vous en prie, ça nous ferait tellement plaisir.

— Je viendrai un de ces jours », promis-je.

La perspective de nous voir passer une nuit dans la cachette les réjouissait. Mais avant de pouvoir tenir notre promesse, Jan et moi fûmes priés d'assister à une petite réception, un dîner donné en notre honneur à l'occasion de notre premier anniversaire de mariage. L'invitation était pour le samedi 18 juillet.

Lorsque le soir tomba, je restai au bureau après le départ des derniers employés. Jan me rejoignit. Nous nous étions mis sur notre trente et un.

Une délicieuse odeur de cuisine nous accueillit. Il régnait une activité de ruche dans la chambre des Van Daan. La table était mise ; nos amis nous firent fête.

Anne me présenta le menu spécial qu'elle avait rédigé. Elle était descendue la veille au soir dans le bureau pour le taper sur la machine à écrire. On y lisait : « Dîner, offert par "HET ACHTERHUIS" à l'occasion de la première année de mariage de monsieur et madame Gies. » Anne avait surnommé la cachette *Het Achterhuis*, « l'Annexe ». Venait ensuite la liste des plats qui nous seraient servis, accompagnée de ses propres commentaires. En premier, le potage qu'elle appelait « bouillon à la Hunzestraat », à cause de la rue dans laquelle nous habitions, Jan et moi. Nous parcourûmes le menu avec un plaisir extrême.

Le plat suivant était « roast-beef Scholte », nom de notre boucher. Puis, « salade Richelieu, salade hollandaise, une pomme de terre ». Venait ensuite « la sauce de bœuf (Jus) » que nous devions utiliser « en très petites quantités à cause de la diminution de notre ration de beurre sur nos cartes de ravitaillement ». Puis le « riz à la Trautmansdorf » — une très jolie petite ville allemande — et enfin « sucre, cannelle, jus de framboise » servis avec du « café accompagné de sucre, crème et surprises diverses ».

Je promis à Anne que je garderais toujours son menu comme un porte-bonheur, et Mme Van Daan annonça que le dîner était servi. Jan et moi, nous eûmes droit aux places d'honneur. Nos amis s'assirent autour de nous — neuf personnes serrées autour de la table, neuf chaises dépareillées coincées les unes contre les autres.

Et le dîner commença. C'était exquis. J'appris que Mme Van Daan avait présidé à la cuisine. « J'ignorais que votre épouse fût une si fine cuisinière, dis-je à M. Van Daan. C'est un repas somptueux. »

Un sourire de fierté illumina son visage.

Au plein cœur de l'été, la chaleur rendit la vie difficile dans la cachette. Il faisait toujours lourd à cause des rideaux tirés à toutes les heures de la journée et de la nuit. Seule la fenêtre de la pièce de gauche restait légèrement entrouverte pendant les heures de bureau, pour donner l'illusion que les ouvriers de l'atelier y travaillaient. Il n'y avait jamais beaucoup d'air en temps normal, et l'atmosphère devint plus étouffante encore lorsque la température monta. Heureusement, le grand et beau marronnier qui poussait derrière l'immeuble tamisait les rayons du soleil, empêchant la cachette de se transformer en fournaise.

Lorsque chaque chose eut peu à peu trouvé sa place, les habitants de la cachette inventèrent mille façons de s'occuper. Ils n'étaient jamais désœuvrés. Qu'ils fussent en train de lire, d'étudier, de jouer aux cartes, d'éplucher des carottes ou de faire des calculs, nos amis gardaient toujours l'esprit occupé. Pendant la journée, ils se déplaçaient en chaussettes, pour éviter de faire du bruit.

Ils ne me montrèrent jamais que leur côté le plus aimable, le plus chaleureux. Même s'ils vivaient dans la plus grande promiscuité, ils restaient toujours polis avec moi, et les uns vis-à-vis des autres en ma présence. Très vite, un travail d'équipe s'était organisé. Leurs différentes personnalités apprirent à s'accorder, pour parvenir à une sorte d'équilibre.

Margot et Peter étaient très réservés, toujours en retrait. Mme Van Daan était bavarde, coquette, d'un caractère capricieux, Mme Frank, douce et ordonnée, silencieuse mais attentive à tout ce qui se passait autour d'elle. Plutôt pessimiste de tempérament, la cigarette aux lèvres, incapable de rester en place, M. Van Daan aimait faire des plaisanteries. M. Frank était le plus posé, le plus raisonnable. C'était le professeur des enfants. Il remontait toujours le moral de chacun. Il était le chef, le responsable. Tous les yeux se tournaient vers lui, dès qu'il fallait prendre une décision.

L'été s'avança. On arrivait en août et Mme Samson n'avait toujours pas trouvé d'« adresse ». La voix de Hitler hurlait dans les haut-parleurs que la victoire définitive était proche. Que cela nous plût ou non, nous ne pouvions prétendre le contraire. Oui, Hitler tenait l'Europe dans sa main. Tout serait perdu s'il parvenait à la victoire avant que les Américains et les Anglais ne fussent prêts à débarquer. Lorsque de telles pensées venaient me harceler, véritables bouffées d'angoisse, je les repoussais aussi vite que possible. De peur de ne plus avoir le courage de continuer.

Il semblait impensable que les rafles pussent s'accroître, et c'est pourtant ce qui arriva dans le courant du mois d' août. Les Juifs cherchèrent tous les moyens de gagner du temps, d'échapper d'une façon ou d'une autre à la déportation : être bien placé auprès du Conseil juif, l'organe officiel qui assurait la liaison entre la communauté juive et les nazis ; obtenir un emploi chez un diamantaire, ou dans le broyage des minerais ; ou encore dans un magasin de ravitaillement exclusivement réservé aux Juifs — une boulangerie ou une épicerie juive. Les Juifs n'avaient plus, désormais, le droit de se fournir dans les mêmes boutiques que les autres, ou seulement à certaines heures.

Ils essayèrent de retarder leur départ dans les camps en utilisant de fausses attestations médicales qui les déclaraient physiquement inaptes ou atteints d'une maladie mentale. Chaque jour, l'angoisse et l'incertitude grandissaient dans le cœur de la population juive. Chaque jour, le nombre des déportés grossissait. Il devenait de plus en plus difficile de ne pas être pris dans une rafle. Lorsque le bruit se répandait comme une traînée de poudre qu'une arrestation massive allait avoir lieu dans tel ou tel quartier, les gens évitaient de se trouver chez eux. Le lendemain, après la rafle, chacun partait à la recherche de sa famille, de ses amis, espérant les retrouver en liberté.

Maris et femmes étaient souvent séparés par les arrestations. L'un était pris et l'autre non, parce qu'il ou elle se trouvait ailleurs au moment de la rafle. Lorsqu'il ne restait plus personne dans une habitation juive, une entreprise de déménagement, la société Puls, spécialisée dans le ramassage des biens juifs, envoyait sous huitaine un camion et faisait le vide. A peine quelques jours plus tard, des nazis hollandais, les membres du NSB, prioritaires sur la liste des nouveaux logements disponibles, emménageaient

Le 6 août 1942, le tristement célèbre jeudi noir, les rafles se prolongèrent pendant toute la journée et jusque dans la nuit. Nous entendîmes dire que les Juifs avaient été arrêtés dans la rue, entraînés de force, qu'ils avaient dû quitter leurs maisons sous la menace des armes, fermer leurs portes, remettre leurs clés, quitter tout ce qu'ils avaient. On les frappa. On murmurait que plusieurs s'étaient suicidés. Le soir, à mon retour du bureau, mes amis et voisins vinrent me donner les récits détaillés des rafles.

Elli avait récemment demandé à M. Kraler si son père, au chômage et avec six enfants à nourrir, pourrait venir travailler avec nous. Nous avions besoin de quelqu'un à l'atelier.

Kraler demanda son assentiment à M. Frank. C'était toujours lui qui prenait les décisions. C'est ainsi que le père d'Elli, Hans Vossen, vint travailler à la Travies. Il était sous les ordres de M. Kraler, et son travail consistait à mélanger et à moudre les différentes combinaisons d'épices avant de les empaqueter et de les expédier.

Maigre, presque aussi grand que Jan, M. Vossen avait entre quarante-cinq et cinquante ans. Un jour, peu après son arrivée, je m'aperçus que M. Frank l'avait mis dans le secret de leur clandestinité. Par mesure de sécurité supplémentaire, M. Kraler demanda à M. Vossen de monter une bibliothèque devant la porte de la cachette. Garnie de livres de comptes vides reliés en blanc et noir, cette bibliothèque en camouflait complètement l'entrée. Personne n'aurait pu deviner l'existence d'une porte. On laissa au-dessus du meuble la carte du Luxembourg qui avait été collée sur le mur des années auparavant.

M. Vossen avait fixé un crochet derrière la bibliothèque, que nos amis pouvaient fermer de l'intérieur. Lorsqu'ils l'ouvraient, toute la bibliothèque pivotait, donnant accès à la cachette.

C'était une idée formidable. Elli me raconta par la suite que nous la devions à M. Frank. En ces temps où la terreur régnait dans les rues d'Amsterdam, on avait l'impression de se retrouver à l'abri dans un sanctuaire dès qu'on poussait la bibliothèque. C'était un lieu sûr, où nos amis ne risquaient rien.

Chaque fois que j'y entrais, je me forçais à sourire, à dissimuler l'amertume qui me brûlait le cœur. Je retenais ma respiration, m'efforçant de donner une impression de calme et de bonne humeur que personne ne ressentait plus depuis longtemps en ville. Il ne fallait pas inquiéter nos amis dans leur cachette. Ils ne devaient pas deviner ce qui me tourmentait.

9.

Les Juifs qui avaient jusqu'alors échappé aux arrestations se mirent à redouter de sortir dans la rue. Ils vivaient dans l'angoisse du matin jusqu'au soir, sursautant à chaque instant ; un tintement de sonnette, un coup frappé à la porte, des pas dans l'escalier, un crissement de pneus devant leur maison, le moindre bruit pouvait être le signal d'une descente de police. Beaucoup restaient chez eux, sans bouger. Dans l'attente.

Mme Samson nous annonça qu'elle avait trouvé « une adresse sûre ». Soulagés pour elle, Jan et moi refusâmes d'en savoir plus, pour notre sécurité comme pour la sienne. Jan lui demanda seulement si elle pouvait retarder son départ de quelques jours, attendre que nous partions en vacances, au début du mois de septembre. Nous pourrions, de cette façon, feindre de ne rien savoir de sa disparition, au cas où l'on nous interrogerait, dire que nous ignorions où elle était partie, que nous étions absents à cette époque-là.

Mme Samson promit d'attendre. C'était beaucoup lui demander, mais il nous fallait avant toute chose songer à nos sept amis cachés dans l'annexe de nos bureaux. S'il nous arrivait quelque chose, les conséquences seraient dramatiques pour eux.

Il devenait difficile de savoir l'exacte vérité sur le déroulement des événements. La presse officielle n'était que mensonge. Chaque victoire allemande prenait des proportions démesurées. En août, les Allemands clamèrent qu'ils avaient pris les champs de pétrole de Mozdok en Russie, qu'ils approchaient de la victoire finale. La BBC nous rassura : en effet, les Allemands s'étaient emparés des gisements de Mozdok, mais ces derniers n'étaient plus exploitables car les Russes les avaient rendus complètement inutilisables avant de battre en retraite.

Peu après, les Allemands annoncèrent que la VIe armée avait atteint la Volga, au nord de Stalingrad et que Stalingrad était tombée entre leurs mains. Radio Orange nous informa alors que les pertes subies par les Allemands étaient très lourdes, que les Russes avaient juré de se battre jusqu'au dernier homme, et qu'ils tenaient bon.

Les Allemands qualifiaient les déportations de Juifs de « transfert de population », assurant que toutes les personnes transférées dans les camps étaient décemment traitées, logées et nourries, et que les familles n'étaient pas séparées. Mais d'après la BBC, les Juifs polonais envoyés dans les camps en Allemagne avaient été gazés. Quant aux Juifs hollandais, ils avaient été déportés dans des camps très éloignés de la Hollande, en Allemagne et en Pologne, où on les utilisait pour des travaux forcés.

Si nous avions du mal à distinguer le vrai du faux dans les informations, nous savions cependant que les Allemands obligeaient les déportés à envoyer à leurs familles des cartes postales où ils leur faisaient décrire la vie dans les camps sous un jour rassurant : la nourriture était convenable, il y avait des douches, etc.

Mais les détenus s'arrangèrent pour transmettre une autre information. En terminant, par exemple, leur lettre par : « Embrasse pour moi Ellen de Groot », nom hollandais très répandu que les Allemands ne censuraient pas, ignorant que *ellende* signifie « détresse » en hollandais et que *groot* veut dire « grande ». Le message transmis parlait ainsi de « grande détresse ».

Il me semblait par moments que ma tête était prête à éclater, à force d'entendre autant d'informations contradictoires. Je refusais de penser aux rumeurs épouvantables qui circulaient, à la rigueur des traitements que les Allemands infligeaient à leurs prisonniers. Pour garder le moral, je me forçais à croire uniquement aux bonnes nouvelles. Je transmettais toutes les bonnes nouvelles à mes clandestins ; les mauvaises, je les laissais entrer par une oreille et sortir par l'autre. Si je voulais avoir le courage de continuer, je devais espérer de toutes mes forces que cette guerre finirait bien pour nous.

Il n'était pas question de prendre de vraies vacances en une période aussi troublée. Mais Jan et moi éprouvions un grand besoin de nous reposer et nous parvînmes à passer une dizaine de jours dans un village non loin d'Amsterdam. A la campagne, nous pûmes nous promener et nous reposer. Je ne cessai pourtant de songer à nos amis dans leur cachette.

Lorsque nous regagnâmes la Hunzestraat, Mme Samson était partie. Sans laisser de traces.

La famille Frank et la famille Van Daan traversèrent l'été en bonne santé. C'était notre plus grand souci. Dans l'impossiblité où nous nous trouvions de les conduire chez un médecin, nous redoutions par-dessus tout que l'un d'eux ne tombât malade. Cette inquiétude rongeait particulièrement Mme Frank. Préoccupée de la santé des enfants, elle passait son temps à surveiller ce qu'ils mangeaient, s'ils n'avaient pas froid, s'ils n'avaient pas l'air souffrant.

Le boucher de M. Van Daan n'était pas le seul commerçant à nous procurer les produits de première nécessité pour nos amis. M. Koophuis connaissait le propriétaire d'une chaîne de boulangeries à Amsterdam. Il s'arrangea avec lui pour faire livrer deux ou trois fois par semaine au bureau la quantité de pain nécessaire. Je remettais au boulanger les tickets qui correspondaient à nos rations. Le supplément serait remboursé après la guerre. Le nombre des clandestins égalant celui des employés de la Travies, rien ne permettait d'éveiller les soupçons.

J'allais régulièrement me ravitailler chez un marchand de légumes, dans une petite boutique située sur le Leliegracht. Cet homme avait un air de gentillesse. Je faisais mes achats suivant ce qu'offrait l'étalage. Au bout de quelques semaines, l'homme remarqua que je prenais toujours mes légumes en quantité importante et, sans qu'un seul mot fût échangé entre nous, il en mit dorénavant de côté à mon intention. Lorsque je me présentais, il allait les chercher dans son arrière-boutique.

Mes achats terminés, je regagnais rapidement le Prinsengracht et dissimulais mon sac à provisions entre mon bureau et la fenêtre, afin que personne ne s'aperçût de rien, en dehors de notre petit groupe d'initiés.

Plus tard dans la journée, je montais le ravitaillement dans la cachette. Excepté les sacs de pommes de terre, trop lourds. C'était mon gentil marchand de légumes qui se chargeait en personne de les livrer pendant l'heure creuse du déjeuner. Il déposait son chargement dans le petit placard de la cuisine que je lui avais désigné, et Peter descendait les chercher le soir. Le marchand de légumes et moi n'échangions pas un mot. Les explications étaient inutiles.

Je faisais le ravitaillement pour neuf personnes en tout, en comptant Jan et moi, et il m'arrivait souvent d'être obligée de m'adresser à plusieurs boutiques pour obtenir les quantités nécessaires. Mais personne n'y prêtait attention. En ces temps-là, chacun faisait des pieds et des mains pour obtenir le plus possible et il n'y avait rien d'inhabituel à acheter en quantité. Beaucoup de commerçants se montraient accommodants. Il m'arriva souvent d'obtenir trois livres de pommes de terre avec deux tickets et un peu d'argent pour le supplément.

Elli était chargée du lait. C'était la coutume en Hollande de livrer quotidiennement le lait à domicile ou dans les bureaux. Le laitier ne trouva donc rien de surprenant à déposer un nombre important de bouteilles devant la porte de l'immeuble. Chaque jour, qu'il pleuve ou qu'il vente, le lait arrivait. Elli montait les bouteilles à l'heure du déjeuner.

M. Frank me raconta que c'était M. Koophuis qui avait eu l'idée de l'annexe, et qu'ils avaient ensuite tout organisé ensemble. Ils avaient par la suite mis M. Van Daan dans la confidence, l'invitant à se joindre aux Frank. En plus du mobilier, ils s'étaient arrangés pour introduire dans la cachette des sacs de légumes secs et des boîtes de conserve. Haricots secs, confitures, savon, tissu, ustensiles de cuisine, s'étaient peu à peu entassés dans les pièces. Je ne sus pas exactement comment, mais je crois que M. Koophuis avait demandé à son frère, gérant d'une petite affaire de nettoyage, de livrer le plus gros en camionnette. M. Kraler avait été tenu au courant de ces livraisons.

M. Frank était responsable des études des enfants. Il s'attachait à ce que le travail fût accompli avec sérieux, corrigeait les devoirs, consacrant plus d'attention et de temps à Peter van Daan, qui éprouvait quelques difficultés. Otto Frank aurait fait un professeur admirable. A la fois gentil et ferme, il ponctuait toujours ses leçons d'une note d'humour.

Les études des enfants occupaient une grande partie de la journée. Margot était une élève brillante. Anne aussi, mais elle avait plus de mal à se concentrer sur ses devoirs. Elle écrivait souvent dans un petit cahier à couverture de tissu orange à carreaux que son père lui avait offert le 12 juin, pour ses treize ans, quelques semaines avant leur départ pour la cachette. Elle avait deux endroits de prédilection pour rédiger son journal, sa chambre et celle de ses parents. Même si ce journal n'était un secret pour personne, Anne n'écrivait jamais en présence d'autrui. Manifestement, son père avait donné l'ordre de ne pas la déranger.

M. Frank me raconta qu'Anne tenait régulièrement son journal, ce qui faisait l'objet de questions et de plaisanteries de la part de son entourage. Comment trouvait-elle tant de choses à raconter ? Les joues d'Anne s'enflammaient lorsqu'on se moquait d'elle. Elle répliquait par une boutade, prompte à la risposte, et, pour plus de sécurité, enfermait son cahier dans la vieille mallette en cuir de son père.

Anne était persuadée que son plus grand attrait était son épaisse chevelure noire. Les épaules protégées d'un châle en coton à fond beige orné de petites roses et de motifs dans les tons bleu, vert pâle et rose, elle se brossait vigoureusement les cheveux plusieurs fois par jour afin de les faire briller. Puis, elle mettait des bigoudis pour la nuit. Margot aussi se frisait les cheveux.

Les deux fillettes aidaient à faire la cuisine, la vaisselle, le ménage, à éplucher les pommes de terre. Elles passaient beaucoup de temps à lire ou à étudier. Parfois, Anne étalait sa collection de photos de stars de cinéma et passait de longs moments à les contempler. Elle parlait de films et de vedettes de cinéma à qui voulait bien l'écouter.

Chaque fois que je pénétrais à l'improviste dans la cachette, je les trouvais tous occupés à une activité particulière. On aurait dit un tableau vivant : une tête penchée sur un livre ; un visage à l'air pensif, le front baissé sur un tricot ; une main affectueusement posée sur le dos soyeux de Mouschi ; un stylo qui courait sur le papier, s'arrêtait le temps d'une réflexion, reprenait son parcours. Dans le silence.

Et lorsque j'apparaissais sur le palier, tous les regards s'éclairaient à ma vue. Puis Anne, toujours Anne, se précipitait vers moi, me bombardait de questions. « Que se passe-t-il dehors ? Qu'y a-t-il dans votre sac ? Êtes-vous au courant des dernières nouvelles ? »

Après le départ de Mme Samson, Jan mit l'appartement à notre nom. Le laisser au nom des propriétaires comportait le risque que l'entreprise Puls vînt enlever les meubles. Nous rendrions leurs biens à Mme Samson et à son mari, dès leur retour.

Mme Samson était partie en septembre. Quatre ou six semaines plus tard, nous reçûmes une lettre postée à Hilversum. Elle était signée d'une certaine Mme Van der Hart — nom inconnu de nous. La lecture de la lettre nous renseigna rapidement. Il y apparaissait que Mme Samson se cachait à Hilversum chez Mme Van der Hart. Elle se sentait seule, et nous demandait, par l'intermédiaire de sa logeuse, de venir lui rendre visite.

Nous ne pouvions refuser. Nous prîmes le train jusqu'à Hilversum. Le trajet dura environ quarante-cinq minutes, y compris les quinze minutes de marche jusqu'à l'adresse indiquée dans la lettre : une grande villa, du genre généralement habité par des gens aisés.

Une femme vint nous ouvrir la porte. C'était Mme Van der Hart. Elle nous fit entrer, expliqua rapidement qu'elle vivait seule à l'heure actuelle avec son fils unique, un étudiant de vingt et un ans qui se prénommait Karel. Son mari était resté bloqué en Amérique lorsque la guerre avait éclaté en Hollande. Elle n'avait pas reçu de nouvelles de lui depuis deux ans. Mme Van der Hart nous pria de l'excuser de l'état de sa maison. Elle ajouta qu'elle avait toujours eu des domestiques à son service avant la guerre, et qu'elle devait tout faire elle-même, à présent.

Mme Samson logeait dans une très belle chambre au premier étage. Elle se sentait seule, effrayée, nerveuse à force de rester enfermée à l'intérieur, mais elle était bien nourrie et traitée avec gentillesse. Nous apprîmes que c'est dans cette maison qu'auraient dû se réfugier sa fille et son gendre, la famille Coenen, s'ils ne s'étaient pas aventurés du côté de la gare centrale. Ils avaient disparu entre les mains des Allemands. Heureusement, leurs enfants étaient aujourd'hui en sécurité.

Nous racontâmes à Mme Samson tout ce qui se passait dans la capitale, promettant de revenir. Le train nous ramena à Amsterdam tôt dans la soirée.

C'est à peu près à la même époque que nous reçûmes une lettre d'un ami de M. Frank que nous avions rencontré à l'une des réunions du samedi, place de la Merwede. Il nous priait de venir le voir chez lui, ajoutant que c'était très urgent.

Jan s'y rendit seul. Il revint à la maison l'air épuisé, portant deux gros volumes reliés et dorés sur tranche, une superbe édition des œuvres complètes de Shakespeare. Agé d'une soixantaine d'années, l'homme qu'il venait de voir vivait avec sa sœur aînée, célibataire, et sa vieille mère. « Il m'a tout de suite demandé si je connaissais une ''adresse sûre'' pour eux trois, me raconta tristement Jan. Je sais trop bien que des gens aussi âgés n'ont aucune chance de trouver où se cacher, mais je n'ai pas eu le cœur de le leur dire et j'ai promis de faire mon possible. »

L'homme avait alors pris les volumes de Shakespeare parmi les magnifiques livres reliés qui ornaient sa bibliothèque, et il avait demandé : « M. Gies, voudriez-vous me faire l'honneur de garder ces livres pour moi jusqu'à la fin de la guerre ? »

Jan n'avait pas pu refuser. Nous restâmes silencieux. Que dire de plus ? Nous savions l'un comme l'autre qu'il était pratiquement impossible de cacher des gens de cet âge. Jan avait promis d'essayer. Il tint sa parole, mais en vain.

J'imaginais la tristesse éprouvée par Jan à l'idée de ne pouvoir aider ce pauvre homme. J'avais ressenti la même détresse, peu de temps auparavant, en découvrant une pauvre vieille juive assise devant la porte de notre immeuble. La police verte allait venir l'arrêter. Ses yeux imploraient chaque passant. Elle faisait partie de ces innombrables Juifs qui erraient dans les rues ou restaient assis sous les porches, depuis que les bancs des jardins publics leur étaient interdits.

Depuis peu, la police verte et les SS opéraient des arrestations à l'improviste pendant la journée. C'était la meilleure façon de surprendre chez eux les Juifs les plus démunis : les vieillards, les malades, les petits enfants. Beaucoup se réfugiaient dans les rues, arrêtant les passants pour leur demander s'ils étaient au courant de rafles dans le quartier, s'ils avaient vu des soldats dans les parages, et si oui, où.

Malgré tout mon désir de venir en aide à cette vieille femme et à tant d'autres, je devais faire preuve de prudence. J'étais responsable de trop de gens. J'avais détourné le regard. Le cœur affreusement serré.

Anne et les autres tenaient beaucoup à ce que Jan et moi passions une nuit entière avec eux. Ils mettaient une telle insistance dans leur demande qu'un matin, j'emportai nos affaires pour la nuit en partant à mon travail.

Lorsque j'annonçai à Anne et à Mme Frank que nous avions l'intention de dormir dans la cachette, ce fut une explosion de joie. On aurait dit que la reine Wilhelmine en personne se préparait à leur rendre visite. Anne se frotta les mains, vibrante d'excitation. « Miep et Jan vont venir dormir ici ce soir », courut-elle annoncer aux autres.

Afin de tempérer son enthousiasme, je dis à Mme Frank que nous ne voulions pas leur causer le moindre embarras.

Mme Frank sourit et m'étreignis l'épaule d'un geste amical. En sortant, je répétai à M. Frank, qui montait l'escalier, mon souci de ne pas les déranger. Il sourit et secoua négativement la tête.

Au cours de la journée, je fis part de notre projet à M. Koophuis. Son travail terminé, Jan vint me rejoindre et, après le départ du dernier employé, à dix-sept heures trente, M. Koophuis nous quitta à son tour et ferma à clé la porte de l'immeuble, laissant les bureaux plongés dans un soudain silence. Après nous être assurés que toutes les lumières étaient éteintes, nous montâmes l'escalier, fîmes pivoter la bibliothèque et franchîmes le seuil de la cachette.

Notre apparition en haut de l'escalier fut accueillie avec chaleur. « Le dernier employé est parti », annonçai-je. Immédiatement, il y eut des voix, des pas, des bruits de chasse d'eau, un claquement de porte. La vie reprenait.

Anne nous conduisit dans la chambre qu'elle partageait avec Margot. Elle avait insisté pour que nous prenions leur place. Les deux sœurs passeraient la nuit dans la chambre de leurs parents. Anne tint à me céder son lit, impeccablement fait, et me demanda d'y poser mes affaires. Amusée, je lui déclarai que j'en serais honorée, et j'obéis. Jan mit les siennes sur le lit de Margot.

Ce fut bientôt l'heure des informations. Tout notre petit groupe descendit dans le bureau de M. Frank, rapprochant les chaises de la radio posée sur la table. Un murmure d'excitation emplit la pièce quand la voix si proche et pourtant si lointaine du speaker de Radio Orange nous parvint. « Ici Radio Orange, annonça-t-elle. Tout s'est bien passé aujourd'hui. Les Anglais... » C'était notre seul véritable contact avec le monde encore libre, la seule source d'information capable de nous donner quelque espoir.

Lorsque vint l'heure de dîner, Jan et moi eûmes droit aux places d'honneur, comme le jour de notre anniversaire de mariage. Nous nous pressâmes tous les neuf autour de la table.

Moi en 1933.

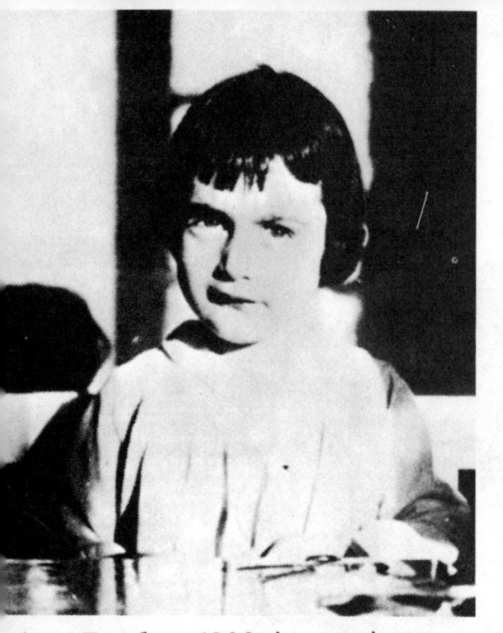

Anne Frank en 1933, à peu près à l'époque où la famille Frank a quitté l'Allemagne pour émigrer aux Pays-Bas.

Anne Frank sur les bancs de l'école en 1935, peu de temps après notre première rencontre. Anne se trouve au centre (flèche).

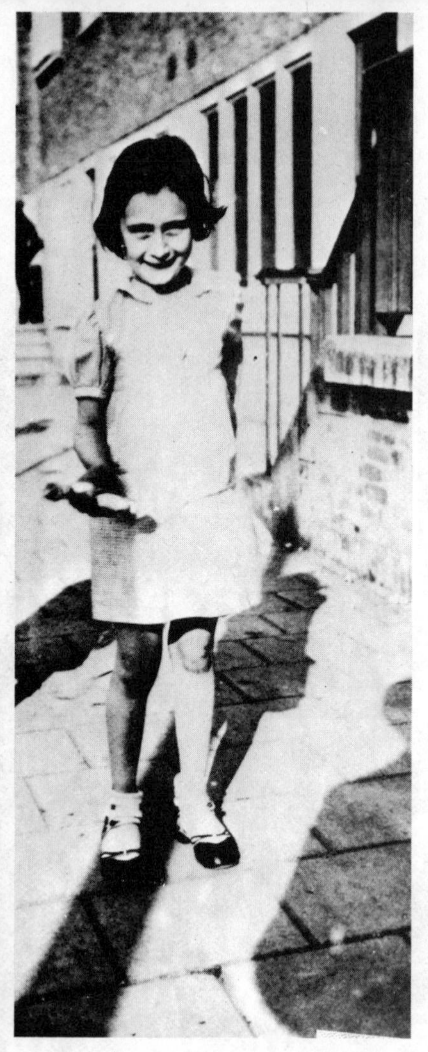

Anne en 1936.

Anne en 1937.

Jo Koophuis.

's le déménagement
63 Prinsengracht. Assis
remier plan de gauche à droite :
or Kraler, Elli Vossen et moi.
ière, deux employées du bureau.

Otto Frank et moi au bureau, dans l'immeuble du 400 Singel, en 1937.

Margot Frank et Anne Frank en 1941.

Anne Frank en 1940.

Jan et mo
le jour de
mariage.

M. et Mm
Van Daan
Victor Kra

Mme Samson.

ns la rue, après le mariage.

Vue de la façade du 263 Prinsengracht.

*Vue de l'arrière du bâtiment montrant l'*Annexe *– la cachette – et le marronnier qui dissimulait l'immeuble.*

Anne en 1942.

ntrée de la cachette. A droite, fermée par la bibliothèque qui dissimulait
porte. A gauche, ouverte, lorsque la bibliothèque pivote sur le côté.

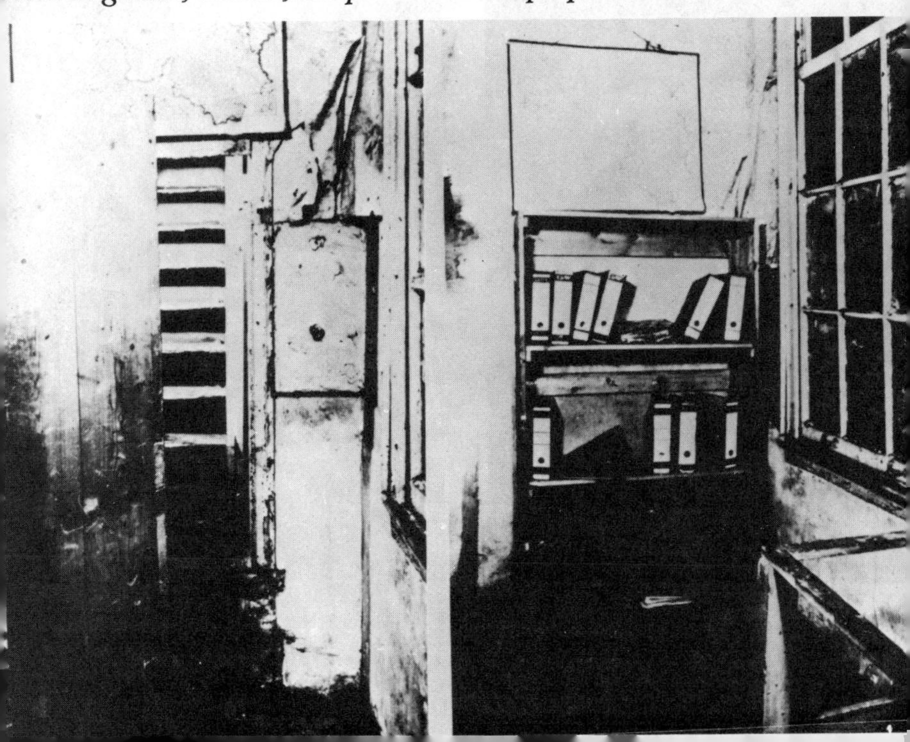

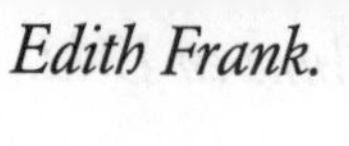

Edith Frank.

eter Van Daan.

Le Dr. Albert Dussel

Le mur de la chambre d'Anne, recouvert de toutes ses photos que l'on peut encore y voir aujourd'hui.

Zaterdag 18 Juli 1942

D I N E R

aangeboden door "HET ACHTERHUIS"ter gelegenhei
van het eenjarig bestaan van het huwelijk van
den Weled.heer en Mevrouw G i e s.

B o u i l l o n
a la Hunzestraat
.-.-.-.-.-.-.-.-

Roastbeaf SCHOLTE
Salade Richelieu
Salade Hollandaise
1 Pomme de terre
.-.-.-.-.-.-.-.-

SAUCE DE BOEUF (JUS)
zeer miniem gebruiken svp.in verband
met verlaging v.h.boterrantsoen.
.-.-.-.-.-.-.-.-.-

RIZ a la Trautmansdorf
(Surrogaat)
.-.-.-.-.-.-.-.-.-.-

Suiker,Kaneel,Frambozensap
.-.-.-.-.-.-.-.-.-.-

KO F F I E met suiker,room
en div.verrassingen.
.-.-.-.-.-.-.-.-.-.-

menu tapé à la machine par ıne pour le dîner de notre premier niversaire de mariage dans la :hette.

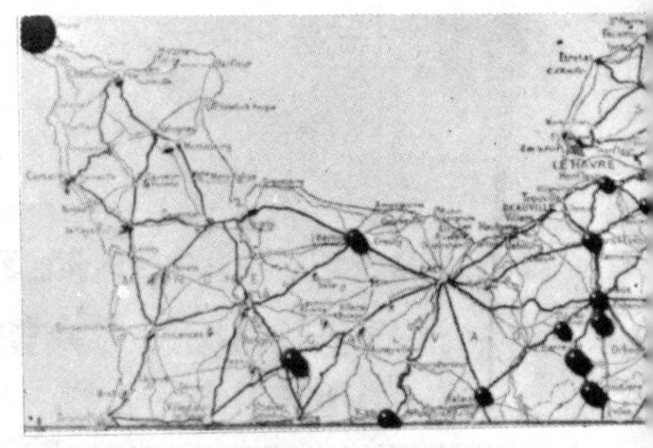

La carte épinglée sur le mur dans la cachette, montrant la progression des troupes alliées après le débarquement en Normandie.

RÉPUBLIQUE FRANÇAISE

Ministère des Prisonniers, Déportés et Réfugiés

FICHE DE TRANSPORT 1061874

(26) Nom FRANK (27) Prénom Otto (28) Nom jeune fille (29) Date naissance 12-5-89

(30) Nom, prénom, adresse de la personne chez qui vous vous rendez

Mme GIES 29 Rue Hunze AMSTERDAM. HOLLANDE

(70) AVIS SERVICE SANTÉ	RÉGULATION				
	Moyen locomotion	Date	Heure	Départ	OBSERVATIONS
D R	train S.N.C.F	27-5-45			Hollandais

GARE DESTINATAIRE Amsterdam

GARE DÉPART Marseille St Charles

Cette fiche donne droit, par priorité et sans paiement, au transport du rapatrié de jusqu'à sa destination définitive, par tous les moyens mis à la disposition des Services de rapatriement (à l'exception des autorails de liaison de la S. N. C. F.).

Toutefois, si le rapatrié emprunte des moyens de transport secondaires (autocars, compagnies secondaires de chemin de fer, etc.), il devra acquitter le prix de sa place et inscrire au dos de cette fiche les trajets effectués et les sommes payées. Elles lui seront remboursées sur présentation de cette fiche à la Direction départementale des P.D.R. de sa résidence.

NOTA. - En cas d'arrêts intermédiaires (*voir au dos*)

TIMBRE GARE DÉPART

I.D.M. PARIS 2

RÉPUBLIQUE FRANÇAISE

MINISTÈRE DES PRISONNIERS DÉPORTÉS ET RÉFUGIÉS

CARTE DE RAPATRIÉ

(1) Catégorie D.KAC (2) Date d'arrivée en Allemagne 5.9.44.

(3) Dernier lieu de détention ou de travail en Allemagne Auschwitz

(4) Nom FRANK (5) Prénoms Otto (6) Sexe M

LE RAPATRIÉ A DÉPOSÉ : LM RM FF

(7) Pseudonyme (8) État Civil M. 2. (9) Profession Commerçant en gros

(10) Date de naissance 12.5.89. (11) Lieu de naissance Francfort s/mer.

(12) Nom du Père Michael (13) Nom de la Mère Sterne Alice

Le Rapatrié a REÇU : Frs prime Frs Av. sur Marks

(14) Nationalité d'origine Allemand. (15) Nationalité actuelle Hollandais (16) Date de naturalisation

(17) Dernière résidence en France

(18) Nom et adresse de la personne chez qui vous vous rendez Mme GIES 29 Rue Hunze AMSTERDAM HOLLANDE

(19) Pièces d'identité produites immatricule 13.91 74

VÊTEMENTS 1 Colis

(20) Bureau de Recrutement (21) Centre mobilisateur

(22) Classe de mobilisation (23) Grade

(24) Position militaire au moment du départ en Allemagne

(25) Dernière affectation militaire en France

Hollandais

PHOTO 4 × 4

TICKETS TABAC

1061874

ALLIED EXPEDITIONARY FORCE

D. P. INDEX CARD

G 04161321

1. (Registration number) 16—35306-1

Frank Otto

2. (Family name) (Other given names)

3. (Signature of holder) D.P. 1

NOT A PASS

Le retour d'Otto Frank : fiche de transport, carte de rapatrié, carte de personne déplacée. Sur la carte de rapatrié on peut lire : « Dernier lieu de détention : Auschwitz. » « Personne chez qui vous vous rendez : Mme Gies, Amsterdam. »

En 1951, avec mon fils Paul : Otto Frank, Jan et moi.

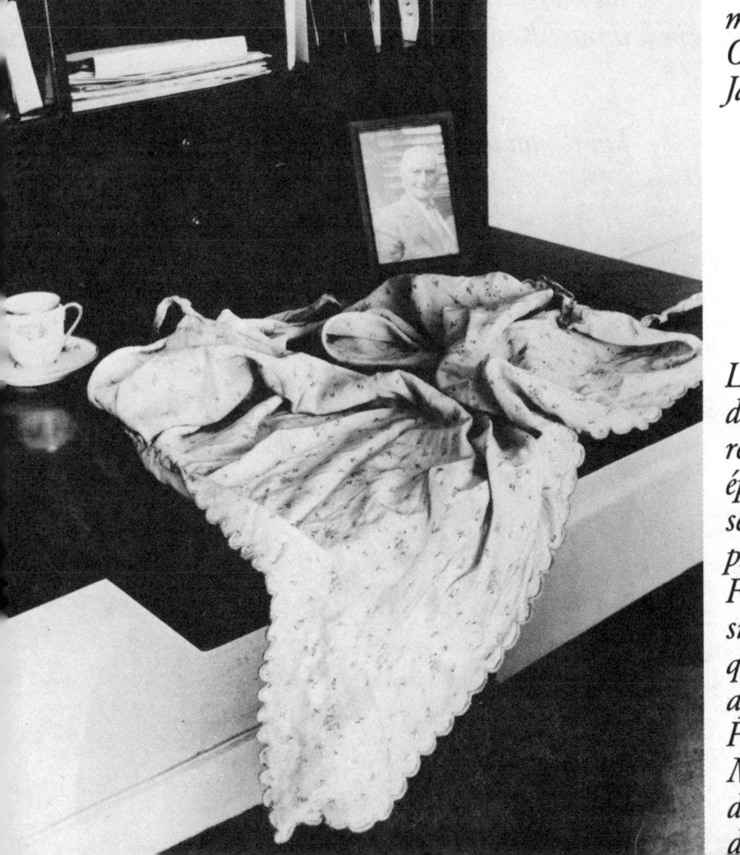

Le châle dont Anne recouvrait ses épaules pour se coiffer et une photo d'Otto Frank posés sur le secrétaire qui avait appartenu aux Frank et que M. Frank m'a donné avant de mourir.

263 Prinsengracht, octobre 1945.
Debout, de gauche à droite : Koophuis, Kraler. Assis : moi, Otto Frank, E

Jan et moi à Amsterdam, en 1986.

Cette fois-ci, c'était Mme Frank et Margot qui avaient préparé le dîner. Un repas aussi délicieux qu'abondant.

Les rideaux opaques, la lumière des lampes, la chaleur de la cuisine, donnaient à la pièce une atmosphère douillette. Nous nous attardâmes à bavarder en prenant le café et le dessert. Nos amis savouraient notre présence. Tous voulaient profiter au maximum de notre compagnie.

Et là, assise à leur table, je pris soudain conscience de ce que représentait le fait d'être enfermé dans ces petites pièces. Je compris la peur et l'impuissance qui les habitaient jour et nuit. Bien sûr, c'était la guerre pour nous tous, mais Jan et moi avions la liberté d'aller et de venir où bon nous semblait, de rester chez nous ou de sortir. Eux étaient confinés dans une prison, une prison dont ils possédaient eux-mêmes la clé.

Il fallut à regret nous séparer, car M. et Mme Van Daan étaient obligés d' attendre que nous soyons descendus à l'étage au-dessous pour se coucher. Un dernier bonsoir, et nous nous retrouvâmes tous les deux dans la petite chambre d'Anne, entourés par les visages de ses stars de cinéma.

Je me glissai dans le petit lit dur d'Anne, sous une telle superposition de couvertures qu'il paraissait improbable qu'elle attrapât jamais froid, même s'il faisait frais dans la chambre. On entendait tous les bruits dans les autres pièces : M. Van Daan qui toussait, le grincement des ressorts, le bruit d'une pantoufle qui tombait à côté d'un lit, la chasse d'eau, un bond feutré de Mouschi quelque part au-dessus de ma tête.

Le carillon de la Westerkerk sonna tous les quarts d'heure. Je ne l'avais jamais entendu vibrer aussi clairement. L'église se trouvait de l'autre côté des jardins, derrière l'Annexe et lorsque la cloche carillonnait dans la journée, le son m'en parvenait assourdi, amorti par l'épaisseur de l'immeuble. Je lui trouvais un écho apaisant.

Tout au long de la nuit, j'entendis sonner l'horloge de la Westerkerk. Je ne fermai pas l'œil. J'écoutai le vent qui se levait, le bruit de la pluie, le silence oppressant de la nuit, sentant peu à peu s'infiltrer en moi l'effroi qu'éprouvaient ceux qui restaient jour et nuit cloîtrés dans leurs quatre pièces. C'était une épouvante si terrible qu'elle m'empêchait de m'endormir.

Pour la première fois, je sus ce qu'éprouvait un Juif obligé de se cacher.

10.

Je restai éveillée jusqu'aux premières lueurs du jour. Très tôt, j'entendis nos hôtes commencer à bouger, se rendre chacun à son tour à la salle de bain, avant l'arrivée des employés de l'atelier. Dehors, il pleuvait des cordes.

Nous nous habillâmes rapidement, Jan et moi, et montâmes rejoindre nos amis réunis autour de la table pour le petit déjeuner. Obligé de quitter l'immeuble avant l'ouverture des bureaux, Jan partit avant moi, malgré le regret qui se lisait dans tous les yeux.

Je m'attardai le plus longtemps possible, acceptai une autre tasse de café, entourée de mille attentions. Anne me posa une foule de questions sur mes impressions de la nuit. « Comment avez-vous dormi ? Le carillon de la Westerkerk vous a-t-il réveillée ? Avez-vous entendu passer les avions qui vont bombarder l'Allemagne ? Avez-vous pu dormir avec tout ça ? »

Il n'était pas facile d'esquiver les questions d'Anne, mais je préférais taire l'épreuve qu'avait représentée pour moi cette longue nuit peuplée de frayeurs.

Une expression de satisfaction se peignit sur son visage. Elle me fixa d'un regard grave. Sans qu'il fût besoin de prononcer un mot, nous savions l'une comme l'autre que je venais de passer un moment de l'état de profane à celui d'initié, que je savais maintenant à quoi ressemblait une nuit de clandestin.

« Reviendrez-vous une autre fois ? » demanda-t-elle.

Les autres se joignirent à sa prière.

Je promis que nous passerions une autre nuit avec eux.

« Vous dormirez encore dans mon lit, offrit Anne. C'est tellement rassurant de sentir nos protecteurs tout près de nous. »

Je l'assurai que nous étions toujours proches d'eux. « Sinon physiquement, du moins en esprit. »

— La nuit aussi ? demanda Anne.

— La nuit aussi. »

Elle me regarda d'un air sévère pendant un instant ; puis son visage s'égaya. « Et vous n'aurez même pas à vous mouiller sous cette pluie battante pour aller travailler », ajouta-t-elle.

Des rafles de plus grande envergure eurent lieu au début du mois d'octobre 1942. Le 2 octobre, qualifié de « vendredi noir », la nouvelle se répandit comme une traînée de poudre à travers le quartier juif que des arrestations massives se préparaient. Ce jour-là, les gens vécurent dans la terreur, guettant les bruits de bottes dans les escaliers, le son perçant de la sonnette d'entrée.

La rumeur était devenue si terrifiante qu'une quasi-panique s'était répandue dans tous les quartiers juifs d'Amsterdam.

Cette flambée particulièrement violente cessa aussi soudainement qu'elle s'était propagée. Des semaines passèrent. De nouvelles rumeurs circulèrent : la déportation de la population juive avait cessé. Peut-être n'y avait-il plus de place dans les camps ? Peut-être les Allemands avaient-ils toute la main-d'œuvre qui leur était nécessaire ?

L'automne fut froid et pluvieux en Hollande, plus triste que jamais. La BBC et Radio Orange annoncèrent qu'en Russie, des pluies diluviennes ralentissaient la 6e armée allemande. Conduits par le général Eisenhower, les Anglais et les Américains avaient débarqué sur les rivages du Maroc et de l'Algérie ; de son côté, Montgomery repoussait les divisions de Rommel. Lentement, certes, mais pas à pas. Bien entendu, la presse contrôlée par les Allemands affirmait que la guerre était pratiquement gagnée, que bientôt l'Allemagne dominerait l'Europe entière, l'Angleterre, l'Afrique du Nord, l'Égypte et le reste du monde.

Je partais maintenant faire mes achats sans savoir ce que j'allais rapporter. Les boutiques étaient chaque jour moins approvisionnées et les queues s'allongeaient. Les gens avaient l'air un peu plus pauvres, aussi. Mais, en y consacrant un peu plus de temps et de patience, je finissais par trouver sans trop de difficulté de quoi nourrir nos sept amis, ainsi que Jan et moi-même.

Chaque fois que je pénétrais dans la cachette, Anne, Mme Frank et Mme Van Daan me posaient les mêmes questions : à quoi ressemblait la vie de l'autre côté de la bibliothèque ? Que se passait-il dehors ? Les hommes interrogeaient Jan. Anne s'inquiétait souvent de savoir si l'entreprise Puls était venue déménager leur appartement. Il m'arrivait de passer à bicyclette place de la Merwede, mais je n'avais rien vu de particulier. Il y avait toujours les mêmes rideaux aux fenêtres. Je répondais à Anne que je ne savais pas.

Un jour, le hasard m'avait permis de voir les déménageurs vider la maison des Van Daan. Mme Van Daan avait failli devenir folle de chagrin en l'apprenant et je m'étais juré de ne plus jamais apporter de nouvelles susceptibles de les bouleverser. Ce n'était pas toujours aisé. Anne aurait fait un détective de premier plan. Elle devinait qu'on ne disait pas tout, insistait, me forçait à répondre, me sondant de son regard pénétrant jusqu'à ce que je me retrouve en train de révéler justement ce que j'avais décidé de taire.

La plus affectée par les mauvaises nouvelles était Mme Frank. A mesure qu'approchait l'hiver, je la vis peu à peu s'assombrir. Les rumeurs qui annonçaient la fin des rafles avaient remonté le moral de chacun. Nous nous accrochions, pleins d'espoir, aux informations encourageantes que divulguaient la BBC et Radio Orange sur les nouvelles offensives anglo-américaines. Mais rien ne semblait pouvoir ranimer le courage de Mme Frank. Rien ne parvenait à dissiper ses idées noires. Nous avions beau essayer de la raisonner, elle ne voyait pas le bout du tunnel.

En dépit de l'accalmie dans les persécutions, les Juifs se sentaient toujours menacés. Si beaucoup d'entre eux étaient partis depuis longtemps, ceux qui restaient vivaient dans la terreur et le dénuement, le plus souvent sans moyens d'existence à moins de travailler dans l'un des petits commerces autorisés, chaque jour moins nombreux. Depuis un certain temps, il était devenu illégal de faire appel au service d'un Juif dans les professions médicales et dentaires, mais je refusai d'interrompre les soins que me donnait Albert Dussel. C'était un excellent chirurgien dentiste et un homme pour qui j'éprouvais beaucoup de sympathie.

Lors d'une de mes visites à son cabinet, au début de l'automne, il me demanda d'une voix posée, prudente : « Miep, peut-être connaissez-vous un endroit où je puisse me cacher ? »

Je n'en connaissais pas, mais je promis de lui faire savoir si j'entendais parler d'une cachette.

Je parlai dès le lendemain à M. Frank de ma visite chez le Dr Dussel. Il m'écouta avec attention ; Dussel et sa femme faisaient partie des réfugiés d'Allemagne qui avaient coutume de participer aux réunions du samedi après midi chez les Frank. Je savais que M. Frank lui portait la même sympathie que moi.

Je ne pensai plus à notre conversation quand, plusieurs jours après, lors de ma visite de l'après-midi, M. Frank me prit à part. « Miep, me dit-il, lorsqu'il y a de quoi nourrir sept personnes, il y en a pour huit. Nous en avons tous discuté ensemble, et nous avons décidé d'un commun accord d'accueillir Dussel parmi nous. Mais à la condition qu'il soit là demain matin à la première heure. »

M. Frank poursuivit, expliquant pourquoi Dussel devait arriver le lendemain matin. Il ne fallait pas qu'il eût le temps de parler à qui que ce soit. Et il ne fallait pas non plus qu'il pût effectuer des préparatifs, qui risqueraient de faire naître les soupçons et être dangereux pour tous ceux qui étaient déjà dans la clandestinité. Je compris parfaitement et dis à M. Frank que j'allais transmettre immédiatement sa proposition.

En sortant du bureau, je me rendis directement chez Albert Dussel et lui annonçai que j'avais trouvé un endroit où il pouvait se cacher en sécurité. Je ne lui donnai aucun détail, mentionnant seulement : « Il faut que vous partiez dès demain matin. C'est la seule condition. »

Le visage de Dussel s'allongea, il secoua tristement la tête. « Impossible, dit-il. Je soigne une patiente pour un problème de racine et c'est demain que se termine le traitement. Je ne puis la laisser tomber, la laisser souffrir sans la soigner. » Il poussa un gros soupir. « C'est simplement impossible. Le jour suivant, oui, mais demain… impossible. »

Je le quittai sans rien lui dire de plus.

Le lendemain matin, le cœur lourd, je montai dans la cachette rendre compte de la réponse d'Albert Dussel. La décision d'accueillir dans leur cachette quelqu'un de l'extérieur ajoutait un élément d'anxiété supplémentaire. M. Frank dit qu'ils allaient en discuter ensemble.

Avant de rentrer chez moi, à la fin de l'après-midi, je montai leur demander s'ils avaient pris une décision.

M. Frank prit un ton grave : « Nous en avons débattu tous les sept, et nous avons décidé qu'un praticien responsable ne pouvait pas se permettre d'abandonner un patient en cours de traitement. C'est une attitude respectable. Dites-lui qu'il y a une place pour lui s'il accepte de venir lundi. » Il poursuivit : « Nous avons mis un plan sur pied. Miep, acceptez-vous de nous aider, malgré le danger que cela comporte ? »

J'acceptai.

Il me donna toutes les explications nécessaires.

A la fin de la journée, je me rendis à nouveau chez Albert Dussel et lui annonçai que je lui avais trouvé une adresse et qu'il pouvait attendre lundi matin pour s'y rendre. Un nouvel espoir brilla dans ses yeux. « Lundi matin conviendra parfaitement. J'ai fini de soigner ma patiente. Je suis prêt.

— Bien. Nous procéderons de la manière suivante : lundi matin à onze heures, vous vous trouverez devant la poste centrale sur le Nieuwe Zijds Voorburgwal. Vous marcherez de long en large devant le bâtiment de la poste comme si de rien n'était. Une fois que votre contact, un homme, vous aura identifié, il s'approchera de vous et vous dira : "Veuillez me suivre." Vous ne direz pas un mot, vous le suivrez là où il vous conduira. Dernière recommandation, emportez le moins de choses possible — rien qui puisse vous rendre suspect. Nous trouverons peut-être un moyen de récupérer vos affaires plus tard, quand vous serez à l'abri. Nous verrons. »

Le Dr Dussel me remercia avec effusion. Il était clair que pour lui, mon rôle dans cette affaire se limitait à celui du messager. Il me souhaita au revoir « jusqu'à la fin de la guerre », et je lui souhaitai de passer une bonne journée. Nous ne pouvions en dire plus. Nous savions l'un comme l'autre que le danger rôdait partout pour un Juif qui s'apprêtait à rentrer dans la clandestinité, surtout pendant les dernières heures fatidiques qui précédaient le départ.

Je me doutais qu'en son for intérieur, Dussel était persuadé que la cachette se trouvait à la campagne, comme la plupart des autres adresses.

Le contact de Dussel fut Jo Koophuis. Dussel ne l'avait jamais rencontré, aussi ne pouvait-il pas faire le rapprochement avec les Frank. Il ne s'était jamais, non plus, rendu dans nos bureaux du Prinsengracht. Comme la plupart des Juifs, Albert Dussel acceptait de remettre sa personne, sa sécurité et peut-être sa vie entre les mains d'un étranger.

Le lundi matin, vers onze heures trente, M. Koophuis entra dans mon bureau : « Tout s'est bien passé, dit-il simplement. Il attend dans le bureau privé de M. Frank. Il s'est étonné que je l'aie conduit en plein centre d'Amsterdam plutôt qu'en dehors de la ville. A vous d'agir, maintenant, Miep. »

Je me précipitai dans le bureau privé de M. Frank.

« Miep ! » s'exclama Dussel, l'air stupéfait.

Je dus réprimer mon envie de rire à la pensée qu'il n'était pas au bout de ses surprises. « Donnez-moi votre manteau », dis-je.

Il me le tendit, l'air encore plus décontenancé.

« Allons-y maintenant, dis-je. Venez avec moi » et j'entraînai le Dr Dussel dans le vieil escalier qui aboutissait sur le palier devant la bibliothèque pivotante. J'ouvris la porte derrière la bibliothèque, montai chez les Van Daan, où l' attendait toute la petite assemblée réunie autour de la table. Le café était prêt. Avec une bouteille de cognac. Dussel semblait sur le point de s'évanouir, comme s'il se trouvait en présence d'un fantôme. Il croyait les Frank partis en Suisse. Qui aurait imaginé qu'ils se trouvaient en plein centre d'Amsterdam ?

L'émotion me serra la gorge. « Mesdames et messieurs, annonçai-je, voilà qui est fait. » Je me détournai et les laissai ensemble.

A partir de ce jour, je rencontrai une fois par semaine l'épouse d'Albert Dussel, une charmante jeune femme blonde d'une année plus âgée que moi, à qui je remettais les longues lettres de son mari. Elle me chargeait en retour de lettres, livres, paquets, et instruments de dentisterie qu'il lui réclamait. Chrétienne, elle ne courait plus aucun risque depuis que son mari n'était plus à ses côtés.

Aux yeux de Mme Dussel, je remettais les paquets qu'elle me confiait à un tiers chargé de les faire parvenir à son mari. Je feignis toujours d'ignorer l'endroit où se cachait Albert Dussel. C'était une femme discrète et sensible et elle se garda de chercher à savoir la vérité. Elle ne me posa jamais une seule question. Nous échangions simplement chaque semaine lettres et paquets.

Après l'arrivée du Dr Dussel, nos amis n'eurent plus la place de nous recevoir pour la nuit, Jan et moi, et Anne dut à contrecœur cesser ses invitations. Margot s'installa dans la chambre de M. et Mme Frank. Anne resta où elle était, partageant sa petite chambre avec le dentiste. Chacun fit de son mieux pour prendre les choses du bon côté, mais ils se sentaient encore plus à l'étroit, maintenant qu'ils étaient huit.

Il apparut rapidement qu'Albert Dussel avait une peur bleue des chats, si bien qu'il fallut s'arranger pour éloigner Mouschi de sa présence. Ce qui n'était pas toujours aisé, car si Dussel redoutait Mouschi, ce dernier en revanche déployait ses habituelles tentatives de séduction envers le nouveau membre de la maisonnée.

De sa place bien au chaud près du poêle à charbon, Mouschi gardait un œil sur tout le monde, y compris sur Dussel. Le poêle flambait dans la grande pièce des Van Daan. On montait le charbon de l'atelier en bas, et il faisait bon dans la cachette malgré les courants d'air et l'humidité qui forçaient les occupants à porter sur eux plusieurs épaisseurs de vêtements, parfois un châle sur les épaules. Excepté lors des coupures de courant, les lampes apportaient une note de gaieté dans les pièces.

Dans les derniers mois de l'année 1942, Jan et moi prîmes le maximum de précautions pour ne pas attraper froid. Pas plus que nos amis, nous ne pouvions nous permettre de tomber malades. A l'approche de l'hiver, il me sembla constater une sorte de baisse de tonus dans la cachette. C'était à peine perceptible, comme si le petit groupe cloîtré là-haut perdait petit à petit courage, comme si une certaine langueur s'était emparée de chacun d'eux. Anne était horripilée par les manières vieux jeu de Dussel, qui de son côté appréciait peu l'humeur capricieuse de la jeune fille. La bonne entente entre Mme Frank et Mme Van Daan s'était quelque peu altérée. Peter passait de plus en plus de temps dans le grenier, et Margot pouvait rester assise à la même place pendant des heures.

Survinrent quelques petits accidents, des maux sans gravité : Dussel souffrit de conjonctivite, Mme Van Daan se luxa une côte. On entendit quelques plaintes, quelques gémissements. Cela n'avait rien d'étonnant, à rester entassés nuit et jour dans ces petites pièces, les muscles raidis par le manque d'exercice, obligés de toujours baisser la voix, d'attendre pendant de longues heures de pouvoir soulager leurs besoins. Et Anne qui n'avait aucun exutoire pour épancher son trop-plein d'énergie !

C'était peut-être le prix à payer pour cette oasis dans une Amsterdam douloureusement occupée par les Allemands. Une grande partie de la population juive avait été déportée vers l'est. Et de plus en plus de chrétiens hollandais étaient obligés d'aller travailler en Allemagne, aider à la production de l'armement allemand.

Il faisait encore noir lorsque Jan et moi nous partions le matin à bicyclette, car le jour ne se levait pas avant neuf heures en hiver. Puis la nuit tombait vers quatre heures et demie de l'après-midi, et nous revenions chez nous dans l'obscurité. Entre mon travail, le ravitaillement chaque jour plus difficile et plus long, les visites à l'Annexe, et les efforts pour faire bonne contenance devant nos amis, il m'arrivait de regagner la maison à bout de forces, à la fin de la journée.

Nous nous étions liés d'amitié avec un jeune couple de Hollandais qui habitait en face de chez nous de l'autre côté de la rue. La jeune femme était enceinte à cette époque et près d'accoucher. Il nous arrivait souvent de nous rendre chez eux, après le dîner, malgré le couvre-feu. Tout en sirotant de l'ersatz de café, nous écoutions malgré l'interdiction la BBC nous communiquer un peu d'espoir, combler le vide de nos cœurs.

Un soir où nous nous sentions particulièrement abattus, après une journée harassante, j'allai impulsivement chercher le reste de vrai café que j'avais mis de côté pour une occasion spéciale et pris Jan par la main. « Viens », dis-je en l'entraînant chez nos amis, en dépit du couvre-feu.

Leurs visages s'éclairèrent à la vue du vrai café. Installés le plus confortablement possible autour de la radio, nous fîmes durer le plaisir, savourant chaque goutte de café, appréciant l'odeur, le goût, l'effet du breuvage.

Le résultat fut magique : un regain d'énergie et d'entrain, de hargne contre l'oppresseur allemand. Il n'était plus question de courber la tête, nous allions attendre avec résolution l'arrivée des Alliés.

Nous nous quittâmes tard, remplis d'un espoir nouveau. Et le lendemain, le mari vint nous prévenir que sa femme avait commencé à ressentir les premières contractions juste après notre départ, qu'il l'avait emmenée à l'hôpital en taxi et que leur bébé était né sans attendre. « Le bébé va bien. Ma femme aussi. C'était un café miraculeux, Miep ! » ajouta-t-il en riant.

Instant de bonheur. Quel meilleur usage aurions-nous pu faire de ce dernier reste de vrai café ?

Peu à peu, l'occupation avait stimulé mon désir de revanche. En apprenant que les Allemands mouraient par milliers dans la froidure du blizard russe et par centaines dans les déserts brûlants de l'Afrique du Nord, mon cœur se mit à battre plus vite, un sentiment d'exaltation m'envahit.

Les Allemands proclamèrent haut et fort que leurs troupes se trouvaient à cent kilomètres de Stalingrad, puis qu'elles n'en étaient plus qu'à quarante-cinq kilomètres. Ils affirmèrent que toute la ville était sur le point de tomber, que bientôt la nation russe se trouverait dans la poigne d'Hitler. La BBC et Radio Orange nous réconfortèrent : les soldats de l'Armée rouge avaient juré qu'ils se battraient jusqu'au bout. Bien sûr, les pertes étaient énormes du côté russe. Mais elles l'étaient aussi du côté allemand.

Jan avait démonté notre poste pour le transporter en pièces détachées dans la cachette. Privés de radio à la maison, nous en fûmes réduits à écouter les nouvelles, le soir, chez nos amis du voisinage, ou à attendre d'être informés plus tard.

La Saint-Nicolas approchait et je décidai avec Elli de préparer une petite surprise pour nos amis. Bien que juifs, les Frank étaient très tolérants en matière de religion et en Hollande, le 5 décembre était davantage un jour consacré aux enfants qu'une fête religieuse. Il fallait que ce fût aussi un jour de bonheur pour Margot, Anne et Peter.

Nous nous mîmes toutes les deux à la tâche, d'abord pour composer les traditionnels compliments en vers de la Saint-Nicolas, puis pour trouver des petits cadeaux à l'intention de chacun. Étant donné la pénurie totale qui régnait dans les magasins, il nous fallut faire preuve d'imagination, d'ingéniosité et de savoir-faire, manier en secret aiguille, colle et marteau. Le jour dit, nous rassemblâmes nos poèmes et menus témoignages d'affection dans une grande corbeille encore décorée d'une précédente fête de Saint-Nicolas, et qu'Elli avait conservée.

Nous cachâmes la corbeille dans un placard. A l'heure voulue, M. Frank ferait descendre la petite troupe pour la surprise.

Elli rentra chez elle de son côté, et moi du mien. Je préparai le dîner, songeant au bonheur de nos amis lorsqu'ils ouvriraient la corbeille de fête, remplie de cadeaux amusants et de drôles de petits poèmes. Quelle joyeuse soirée en perspective, surtout pour les jeunes, pour Anne, capable de passer du sérieux de ses treize ans à l'exubérance d'une enfant de six ans, dès qu'il s'agissait de fêter quelque chose.

J'avais récemment remarqué combien le teint d'Anne était devenu pâle et brouillé. Les autres aussi avaient mauvaise mine. Pas un seul rayon de soleil, pas un souffle d'air frais, ne les avaient effleurés depuis plus de six mois. Je me demandai combien de fois un nazi s'était approché du 263, Prinsengracht, sans rien savoir, sans rien soupçonner. Puis je repoussai ces idées noires. Mieux valait penser à des choses agréables, au bonheur des enfants lorsqu'ils descendraient l'escalier et découvriraient la corbeille de cadeaux. Demain Anne me raconterait toute la fête par le menu. Nous pourrions rire et la revivre ensemble.

11.

Nous en étions tous persuadés : la guerre prendrait fin en 1943. Il faisait un temps affreux, sombre, pluvieux. La pression de l'occupation était telle que certains d'entre nous n'en pouvaient plus.

Comme tous les autres, Jan et moi suivions le déroulement de la bataille de Stalingrad. Jamais combats n'avaient été aussi durs et sanglants. Pris dans la neige, les Allemands avaient reculé, mètre après mètre. Seigneur, priai-je, faites qu'ils gèlent tous, et Hitler avec eux.

On entendait pour la première fois le mot « reddition » à la BBC. Les Allemands étaient sur le point de se rendre. Nous n'osions espérer ; comment imaginer que le mot capitulation pût un jour sortir de la bouche d'Hitler ?

Et c'est pourtant ce qui arriva, le 2 février. Nous nous retrouvâmes le lendemain, groupés autour de la radio, vibrants, nous serrant les mains quand la défaite fut officiellement annoncée à la radio allemande, accompagnée par un roulement de tambour et par le second mouvement de la Cinquième symphonie de Beethoven. Quelle explosion de joie ! C'était peut-être le commencement de la fin.

Mais une surprise désagréable devait rapidement suivre ces bonnes nouvelles. Au début du mois de février, M. Kraler vint m'annoncer qu'un homme s'était présenté à l'improviste au bureau et qu'il s'agissait du nouveau propriétaire du 263, Prinsengracht. M. Koophuis était en train de lui faire visiter les lieux. Il était accompagné d'un architecte conseil.

Le sentiment de sécurité que j'avais éprouvé jusqu'alors s'évanouit. Le nouveau propriétaire pouvait faire ce qu'il désirait de l'immeuble. Il allait vouloir visiter sa nouvelle acquisition de fond en comble, demander à jeter un coup d'œil dans les pièces de l'Annexe.

Le cœur battant à tout rompre, je m'attendis au pire. Si cet homme découvrait nos amis, qu'allait-il faire ? Était-il *goed* ou *slecht* — « bon » ou « mauvais » ? Je dus prendre sur moi pour attendre sans bouger à mon bureau.

Finalement, Koophuis entra seul, les traits tirés. Je l'interrogeai du regard. Il secoua la tête : « Non, il n'est pas monté. » Il se laissa tomber sur sa chaise :

« J'ai fait mine de ne pas trouver la clé lorsqu'ils m'ont posé des questions sur les pièces qui se trouvent à l'arrière du bâtiment. Je peux me tromper, mais cet homme n'a pas paru s'en soucier outre mesure. Le risque persiste, néanmoins. Il peut revenir à tout moment et nous ne nous en débarrasserons pas aussi facilement. »

Dans nos yeux se lisait la même impossible question. Que faire maintenant ? Nous avions beau nous torturer l'esprit, nous étions incapables de trouver un autre endroit où cacher décemment huit personnes. Nous nous regardâmes avec le sentiment d'une terrible frustration. Il ne nous restait qu'à rapporter la situation à M. Frank. C'était à lui de décider. C'était à lui de prendre la responsabilité.

« Comment se fait-il que l'ancien propriétaire ne nous ait pas prévenu que l'immeuble était vendu ? C'était la moindre des politesses, s'indigna M. Koophuis. Maintenant, une épée est suspendue au-dessus de nos têtes. »

M. Frank ne trouva aucune solution à proposer. Il n'y avait qu'à attendre la suite des événements. Le nouveau propriétaire allait-il revenir ? Demanderait-il à visiter les autres pièces ? Nous vécûmes dans l'appréhension, le cœur serré. Mais il ne revint pas. L'hiver passa sans qu'on le revît.

Elli s'était inscrite à des cours de sténographie par correspondance, destinés en fait à Margot Frank. Lorsque la leçon de la semaine arrivait adressée à Elli Vossen, Elli la montait à nos amis et Margot se mettait au travail. Anne aussi étudiait la sténographie. Ayant beaucoup de temps à y consacrer, les deux sœurs devinrent rapidement très calées. Une fois terminés les petits travaux quotidiens, elles passaient de longs après-midi à écrire en sténo. Les devoirs terminés, Elli les renvoyait par la poste, et on attendait la leçon suivante. Elli obtenait des notes sensationnelles.

L'hiver n'en finissait pas. Nous nous blottissions près des poêles, cherchions par tous les moyens à nous réchauffer, à conserver la chaleur. A cet égard, l'exiguïté des pièces de l'annexe était un avantage. On jetait dans le petit poêle de la chambre des Van Daan et dans celui des Frank tout ce qui était susceptible de se consumer. Ordures et détritus étaient brûlés, après les heures de bureau. Le soir, Peter descendait les cendres et les résidus incombustibles dans la grande poubelle de l'atelier. La quantité de déchets était trop infime pour qu'on la remarquât.

Anne m'avait demandé de lui mettre de côté des cahiers de compte vierges pour ses devoirs et son journal. Elle continuait à se montrer très secrète à ce sujet, rangeait ses papiers dans la mallette en cuir usé que son père gardait dans sa chambre. Les Frank avaient pour principe de respecter la vie privée de chacun, y compris celle des enfants ; compte tenu du peu d'intimité qui pouvait régner dans la cachette, l'intimité d'Anne était toujours préservée et respectée. Personne n'aurait osé, sans sa permission, toucher à ses papiers ou lire ce qu'elle écrivait.

Un matin, nous trouvâmes nos amis dans un état d'agitation extrême. Ils avaient entendu des bruits pendant la nuit, et soupçonnaient qu'un cambriolage avait eu lieu dans l'entrepôt. Ils étaient en proie à une anxiété mortelle, craignant que l'intrus eût entendu le bruit de leurs pas.

Leur principal sujet d'inquiétude était le poste de radio qu'ils avaient laissé branché sur la BBC dans l'ancien bureau de M. Frank — délit puni par la loi. Les chaises rassemblées autour du poste donnaient l'impression d'un groupe en train d'écouter les nouvelles. Ils étaient terrifiés à l'idée que le voleur pût aller rendre compte à la police de ce qu'il avait vu, et que celle-ci en tirât des conclusions et vînt faire une descente dans la cachette.

Une telle panique s'était emparée d'eux que rien ne parvint à les calmer, même pas l'assurance que l'on n'avait trouvé aucun signe d'effraction ni rien d'anormal dans l'entrepôt. Ils restèrent nerveux, inquiets à cause de la radio, s'affolant pour la moindre chose. Je me rendis compte qu'ils avaient les nerfs à vif.

Il fallait les apaiser, tout mettre en œuvre pour détendre l'atmosphère. Nous fîmes de notre mieux pour prendre les choses à la légère, plaisanter, les obligeant à rire de leurs frayeurs, à se moquer de leur imagination débordante.

En mars, de nouvelles mesures furent édictées contre les Juifs. On leur présenta un nouveau choix : la déportation ou la stérilisation. A ceux qui choisirent la stérilisation, on promit la sécurité. Ils eurent droit à un « J » rouge sur leur carte d'identité, au lieu du sinistre « J » noir, et reçurent l'autorisation de ne plus porter l'étoile jaune.

A cette époque, les Allemands publièrent un appel destiné à tous les clandestins, promettant le pardon à ceux qui se livreraient. Le pardon de quoi ? Qui allait croire aux assurances de l'occupant allemand ?

Nos amis accueillirent la nouvelle avec scepticisme, bénissant leur chance d'avoir trouvé refuge dans un lieu aussi sûr. On ne pouvait imaginer meilleur endroit où se cacher dans tout Amsterdam.

Dans les derniers jours de mars, eurent lieu de nouvelles rafles massives. Les maisons de santé juives pour aveugles, aliénés, mourants furent vidées de leurs occupants. Je fis de mon mieux pour dissimuler à mes amis les actes dont j'avais été témoin. Je me refusai à leur raconter les scènes horribles auxquelles nous assistions dans la rue. Même Anne posait moins de questions. Personne ne semblait vouloir en savoir davantage.

Puis survint un incident providentiel pour les Juifs d'Amsterdam. Un groupe de résistants mit le feu au bureau de recensement de la population. Le bruit circula que l'incendie était énorme, la destruction importante, mais personne n'avait de renseignements exacts sur l'ampleur des dégâts, sur le nombre d'actes de naissance véritablement détruits. Si tous les dossiers avaient été incendiés, les Allemands n'auraient plus aucun moyen de savoir qui était juif, demi-juif ou quart de juif. Ils ne sauraient plus qui arrêter. Nous attendîmes d'en apprendre davantage. Il s'avéra malheureusement très vite que peu de documents avait été brûlés dans l'incendie.

Dans la clandestinité

L'hiver tirait à sa fin et aux premiers jours d'avril, la maladie nous frappa. Elle ne toucha heureusement pas nos amis clandestins, mais fondit sur leurs protecteurs les uns après les autres. Elli et son père furent les premiers à tomber malades, et durent s'absenter pendant plusieurs semaines. Elli avait attrapé la grippe. Son père avait dû se rendre à l'hôpital pour subir des analyses.

Toujours tenaillé par des maux d'estomac qui n'avaient cessé d'empirer, notre cher M. Koophuis n'avait jamais eu une très bonne santé. Il s'était mis à souffrir d'hémorragie interne, et son médecin lui avait ordonné de garder la chambre, espérant que le repos et moins de travail lui feraient du bien. Tout le monde à Amsterdam vivait dans une atmosphère de pression, d'inquiétude et de colère refoulée ; le médecin ne pouvait savoir que M. Koophuis, profondément soucieux de la sécurité de nos amis, avait supporté un poids supplémentaire de responsabilité et de tension nerveuse.

Jan, M. Kraler et moi, nous nous efforçâmes d'augmenter le nombre de nos visites pour compenser l'absence des deux malades. Pour nos amis, chaque visite en moins ôtait un peu de soleil dans la grisaille de leurs journées. Ils regrettèrent le joyeux bavardage d'Elli, les histoires qu'elle leur racontait à propos de son nouveau petit ami. Les visites de Jo Koophuis leur manquèrent cruellement. Il savait si bien leur apporter sa gaieté, son humour, son affection, remonter le moral de chacun avec des petits cadeaux ou des gâteries. Koophuis était un homme essentiellement réconfortant. Laissant ses ennuis derrière lui quand il poussait le battant de la bibliothèque, il pénétrait dans la cachette avec son dynamisme chaleureux, et il avait le don de rendre nos amis plus joyeux et plus heureux par sa seule présence. Qui saurait le remplacer maintenant qu'il était cloué au lit ?

Jan et moi fîmes notre possible pour combler les moments de vide pendant la journée. Par un curieux phénomène, il m'arriva de me sentir à bout de forces, exténuée par ce surcroît de responsabilités, et, en me forçant un peu plus, de découvrir en moi pour faire face à la situation une réserve supplémentaire d'énergie et de courage que je ne soupçonnais pas.

Jo Koophuis nous revint plus rapidement que ne l'avait exigé son médecin, prétendant qu'il se sentait beaucoup mieux, ce que démentaient ses traits pâles et amaigris. En revanche, M. Vossen se trouva obligé de prolonger son séjour à l'hôpital. Les médecins n'étaient pas satisfaits de son état. Avec l'accord de M. Frank, M. Kraler décida d'engager temporairement quelqu'un d'autre pour s'occuper du magasin.

Un certain Frits van Matto fut alors chargé des responsabilités qui incombaient jusque-là à M. Vossen. Peu concernée par le fonctionnement du magasin, je ne prêtai pas grande attention à cet homme. A vrai dire, je ne l'avais même pas remarqué avant le jour où il entra prendre les commandes d'Elli dans notre bureau. Ce n'était qu'une impression, mais je lui trouvai quelque chose d'antipathique et sa présence me mit mal à l'aise. Il voulut se montrer aimable, tenta à plusieurs reprises d'engager la conversation avec moi. Je restai froide et distante.

Van Matto redoubla ses efforts d'amabilité lorsqu'il s'aperçut que j'étais en très bons termes avec Jo Koophuis. Il était manifeste qu'en me passant de la pommade, il pensait s'attirer les bonnes grâces de M. Koophuis. Ce fut en pure perte. Je ne pouvais m'empêcher de le traiter avec froideur. Je n'aurais pu expliquer pourquoi, mais quelque chose chez lui m'inspirait de la défiance. Ce n'était qu'une impression, mais mes impressions ne me trompaient guère.

De temps à autre, Jan et moi allions voir Mme Samson à Hilversum dans sa cachette. Nous lui apportions quelques menus présents — oh, rien de bien luxueux, car on ne trouvait plus grand-chose nulle part. Mme Samson nous accueillait avec une impatience fébrile. Le calme n'avait jamais été son fort, et elle nous submergeait d'un flot de paroles.

Au cours de l'une de ces visites, au printemps 1943, la propriétaire de la villa où se cachait Mme Samson, Mme Van der Hart, nous prit à part dans son salon.

Elle semblait bouleversée. Elle nous demanda si nous étions au courant du serment de fidélité que les étudiants des universités, en Hollande, avaient reçu l'ordre de signer, s'engageant à s'abstenir de tout acte de rébellion contre le Reich et l'armée allemande.

Nous n'ignorions rien de cette mesure, ni du fait que beaucoup d'étudiants avaient refusé de signer et que des grèves s'organisaient çà et là dans les différentes universités. Les Allemands avaient accueilli ces manifestations d'opposition à leur façon habituelle — arrestations, emprisonnements, et interdiction à tout étudiant rebelle de poursuivre ses études.

Mme Van der Hart en arriva au cœur du sujet. « Mon fils Karel a refusé de prêter serment. Il faut absolument qu'il parte se mettre à l'abri. »

Je l'interrompis. « Inutile d'en dire plus. Dites-lui de nous rejoindre le plus vite possible à Amsterdam. Nous le cacherons chez nous. » Nous nous sentions une obligation réciproque envers cette femme chez laquelle Mme Samson avait trouvé refuge.

Dès le mois de mai, Karel van der Hart vint se cacher dans notre appartement de la Hunzestraat.

C'était un beau garçon, mince, blond, de taille moyenne et de caractère agréable. Il occupa l'ancienne chambre de Mme Samson. Tout de suite, il se sentit très bien avec nous. Il appréciait particulièrement les talents culinaires que j'essayais de déployer en dépit du rationnement.

A l'entendre, sa mère n'était pas une fine cuisinière. Elle avait toujours eu des domestiques à son service avant la guerre, et depuis qu'elle était seule à s'occuper de la maison, ses efforts ne donnaient pas des résultats très brillants. Il éclata de rire en surprenant le regard étonné que nous échangions, Jan et moi. Il devinait ce que nous pensions : lors de nos visites, nous avions toujours été remarquablement traités. « C'est vrai, expliqua-t-il, ma mère met les petits plats dans les grands pour les autres, mais une fois les invités partis, c'est... c'est un peu différent. »

Il me fallait maintenant nourrir trois personnes avec nos deux cartes de rationnement. Nous regardions avec amusement Karel engloutir ce qu'il y avait dans son assiette jusqu'à la dernière miette. Naturellement, il était impensable d'avouer à M. Frank et aux autres que nous cachions Karel van der Hart chez nous. Tout ce qui comportait un risque pour nous ne pouvait que redoubler leur inquiétude.

Nous établîmes dès le début un mode de vie avec Karel. Jan et moi partions travailler tous les matins et Karel restait seul dans la maison pendant toute la journée. C'était une existence très solitaire pour un jeune homme, mais qu'y pouvions-nous ? Nous ignorions à quoi il s'occupait, à part lire et jouer seul aux échecs. Nous nous doutions bien qu'il sortait de temps en temps faire un tour, mais ne lui posions jamais de questions. Son échiquier de poche traînait dans la maison, souvent abandonné au milieu d'une partie. Il avait tout le temps voulu pour se concentrer sur un coup. Il n'avait rien d'autre que du temps.

Arriva la saison du grand nettoyage de printemps, mais les restrictions de la guerre le réduisirent à sa plus simple expression. Le savon se faisait de plus en plus rare, le fil et le tissu étaient chaque jour plus chers. Je devais réfléchir deux, trois fois, avant de repriser les chaussettes de Jan. Mon fil pouvait-il servir à autre chose de plus utile ? Nos amis en avaient-ils un besoin plus urgent que nous ?

Nos vêtements étaient pour la plupart défraîchis, tachés, élimés. Ceux dont les revenus étaient modestes avaient maintenant piètre apparence. Les plus pauvres offraient un spectacle de misère pitoyable.

Il m'arrivait à présent de mettre deux fois plus de temps pour trouver de quoi nous ravitailler tous. Il était courant d'arriver devant l'étalage après de longues heures d'attente pour découvrir qu'il ne restait presque rien à acheter ; quelques haricots, une laitue flétrie, des pommes de terre à moitié pourries — denrées de qualité médiocre qui nous rendaient malades. J'avais élargi le cercle de mes fournisseurs, tentant ma chance dans des quartiers plus éloignés, dans l'espoir d'y trouver une nouvelle source de ravitaillement.

Obligés de nous contenter de ce que nous trouvions, nous avions cessé de nous intéresser à ce que nous mangions. Cela signifiait la monotonie et l'ennui pendant des jours. Avec leur cortège de problèmes digestifs, de malaises et l'impression d'être tenaillés à toute heure par la faim.

Mais je n'entendis jamais une seule plainte s'élever dans la cachette. Jamais un soupir d'ennui, un geste de déception, lorsque je déballais mes pauvres achats. Jamais un mot qui exprimât la lassitude de manger du chou rouge ou des haricots pendant plus de deux semaines d'affilée. Ils virent leurs rations de beurre et de matière grasse se réduire de jour en jour sans élever la moindre protestation.

De mon côté, je préférais ne pas remarquer leur mauvaise mine. Les vêtements des enfants étaient dans un piteux état, effrangés, usés jusqu'à la trame. Avec la discrétion qui la caractérisait, Mme Koophuis avait mis la main sur des vêtements d'occasion qu'elle avait fait porter à nos jeunes amis par son mari.

Des trois, c'était la petite Anne qui en avait le besoin le plus urgent, une petite Anne qui se transformait en jeune fille sous nos yeux et qui faisait littéralement éclater ses vêtements.

Elle n'entrait plus dans ses souliers et en riait lorsqu'elle les essayait, mais la vue de ces pieds délicats qui grandissaient sans pouvoir courir, danser ou nager, me brisait le cœur.

Cette poussée de croissance n'avait rien d'anormal ; Anne allait avoir quatorze ans le 12 juin. La nature suivait son cours, en dépit des conditions qui lui étaient imposées. Nous nous préparâmes à fêter son anniversaire de notre mieux — petites gâteries, livres, papier blanc, vêtements d'occasion.

Anne manifestait toujours un grand bonheur à recevoir ou distribuer des cadeaux et profitait de chaque occasion de se réjouir. Elle sauta de joie en découvrant nos menus présents et lut à voix haute les poèmes composés à son intention.

Chacun fit un effort pour être gai, pour combattre les idées noires, effort d'autant plus dur que nous venions d'apprendre que le père d'Elli, Hans Vossen, était atteint d'un cancer incurable. Les médecins n'avaient aucun espoir et ne lui accordaient que peu de temps à vivre.

Nous nous pressâmes autour d'Elli, cherchant à nous réconforter mutuellement, à éloigner le spectre de la mort qui planait sur cette amie exquise, si précieuse pour chacun d'entre nous.

12.

M. et Mme Frank s'aperçurent qu'Anne semblait y voir moins distinctement depuis un certain temps. Sans vouloir lui porter une attention exagérée, ils n'avaient cessé de l'observer. Qu'arriverait-il si elle souffrait de troubles de la vue ?

Cette nouvelle m'inquiéta. Pour nos amis reclus, qui passaient la majeure partie du temps à lire, écrire ou étudier, avoir de bons yeux était la chose la plus précieuse au monde. Une fois prévenue, je remarquai en effet qu'Anne plissait les yeux lorsqu'elle lisait ou écrivait. M. Frank me confia qu'elle se plaignait également de maux de tête.

Que faire ?

Chacun donna son avis et il en ressortit qu'Anne avait sans doute besoin de porter des lunettes. Mais personne n'en était vraiment certain. Le premier problème médical venait de surgir.

Il fallait trouver une solution. J'avais aperçu la plaque d'un oculiste sur un immeuble près du bureau, à moins de dix minutes à pied. Je pourrais peut-être y conduire

Anne. En nous pressant, cela nous prendrait une heure au maximum, aller et retour, y compris le temps de la consultation. Selon les prescriptions de l'oculiste, je pourrais par la suite retourner seule chercher les lunettes d'Anne, prétextant n'importe quel motif pour expliquer l'absence de la jeune fille.

Faire sortir dans la rue une juive vivant dans la clandestinité comportait un gros risque, mais il était inutile de trop y réfléchir. J'étais convaincue de pouvoir accompagner Anne sans incident, et de la ramener ensuite à bon port.

Lors d'une de mes visites de fin de journée, je fis part de ma proposition à M. et Mme Frank, sans tenter de les influencer. Je leur exposai simplement mon plan et attendis leur réponse.

Anne se montra bouleversée. Elle devint blanche comme un linge. « Je peux l'emmener tout de suite », proposai-je, pensant qu'il valait peut-être mieux agir sans attendre avant que la crainte ne nous ôte toute détermination.

Je vis M. et Mme Frank échanger un long regard chargé d'interrogation, se parlant des yeux comme seul un couple peut le faire. M. Frank se caressa le menton. M. et Mme Van Daan, puis M. Dussel voulurent dire leur mot. Le ton était grave. Après tout, c'était un plan terriblement dangereux. Le regard d'Anne allait de son père à sa mère. Elle avoua mourir de peur à la pensée de se retrouver dehors, et peut-être paralysée par l'émotion dans la rue. « Mais j'irai, si tu le veux, ajouta-t-elle en levant les yeux vers son père. Je t'obéirai. »

M. Frank me dit qu'ils allaient en discuter. Il me ferait part ultérieurement de leur décision.

Le lendemain, il m'annonça qu'après avoir longuement réfléchi à ma proposition, et en dépit du souci que leur causait la vision d'Anne, il préférait renoncer au projet. Il secoua tristement la tête : « Sortir dans la rue est trop dangereux. Il vaut mieux que nous restions tous ensemble... Cela fait partie des problèmes que nous résoudrons à la fin de la guerre.

— Et qui sait ?... » ajouta-t-il, comme s'il laissait la question en suspens.

Cependant, l'idée d'exposer Anne aux dangers de la rue ne fut plus jamais évoquée. La défense antiaérienne s'était intensifiée à la suite d'un raid sur l'Allemagne. Un avion abattu s'écrasa près de la place de la Monnaie, non loin de la cachette. L'explosion fut terrible, suivie d'incendies importants.

Dans l'Annexe, le fracas provoqua l'affolement. Malgré leurs efforts pour faire bonne figure lors de mes visites, nos amis reclus se mirent à vivre dans la crainte constante d'être bombardés, incendiés, écrasés. Ils vivaient dans une atmosphère de terreur permanente, sans moyen de réagir. Leur impuissance serait totale au cas où l'immeuble serait bombardé. Ils n'avaient nulle part où aller, nul abri où se réfugier. La proximité des déflagrations portait leur angoisse à un tel paroxysme qu'ils en restaient anéantis, malades pendant des jours. J'étais impuissante à les apaiser.

Ces bombardements leur faisaient toucher du doigt à quel point ils étaient vulnérables. Ce n'était pas tout.

Nos amis avaient souvent imaginé l'intrusion de cambrioleurs dans les bureaux. Mais un jour, un cambriolage eut vraiment lieu. Les voleurs prirent peu de choses, à vrai dire. Ils s'emparèrent d'une partie des tickets de sucre, devenus rares à l'époque, et auxquels nous avions encore droit pour fabriquer nos confitures. Il dérobèrent également la boîte contenant le peu d'argent liquide que nous conservions au bureau et plusieurs accessoires sans grande valeur. Mais une chose inquiétait particulièrement nos amis : les cambrioleurs avaient forcé la porte d'entrée, étaient montés au premier étage, et tout le monde craignait qu'ils ne fussent parvenus jusqu'à la bibliothèque qui dissimulait l'entrée de la cachette.

Personne ne s'était méfié. La radio était restée une fois de plus branchée sur la BBC. Les intrus avaient pu entendre l'eau couler, des pas craquer dans l'escalier, des bruits de voix. En conclusion : l'Annexe ne représentait plus un abri aussi sûr qu'auparavant.

En des temps aussi durs, les voleurs avaient tout lieu de se rendre à la police pour signaler la présence de personnes clandestines. Les Allemands payaient un très bon prix ce genre d'information. Une récompense était offerte pour chaque Juif clandestin dénoncé.

A cette époque, les voleurs étaient en sécurité, pas les Juifs.

Soudain, une nouvelle fit naître en nous un fantastique sentiment d'espoir. Mussolini avait capitulé. Nos alliés britanniques et américains avaient enfin pris pied sur le sol européen et, depuis la Sicile, avançaient vers nous.

Nos protégés étaient euphoriques.

C'est Anne et son père qui montrèrent le plus d'optimisme quant à la fin prochaine de la guerre. Le Dr Dussel et Mme Van Daan furent plus modérés dans leur enthousiasme. Mme Frank, M. Van Daan, Margot et Peter doutaient de la rapidité des Alliés à nous libérer.

Lorsque les Allemands avaient réquisitionné la grosse radio dans le bureau de M. Frank, M. Koophuis s'était arrangé pour dénicher un petit poste en état de marche pour l'Annexe. Nos amis n'eurent plus à descendre pour écouter la BBC et Radio Orange. Notre propre radio que Jan avait transportée en pièces détachées dans la cachette, resta dans le même état dans un coin du grenier.

Les énormes provisions de savon que les Frank et les Van Daan avaient stockées avant leur installation avaient duré plus d'une année. La réserve aujourd'hui venait à s'épuiser, créant un véritable problème pour les huit reclus, plus soucieux de propreté les uns que les autres.

Même avec les cartes de rationnement, le savon était devenu une denrée de plus en plus rare, y compris le savon synthétique, qui semblait n'avoir pour effet que de laisser une pellicule grise flotter dans l'eau. La pénurie se faisait chaque jour plus sévère, nous obligeant à faire une véritable chasse aux denrées de nécessité courante. Les étals des magasins étaient souvent vides. Les gens se jetaient sur la moindre marchandise.

Par une matinée particulièrement harassante, j'essayais de finir mes courses et je roulais à bicyclette, chargée comme un baudet, lorsque deux soldats allemands en side-car me heurtèrent en me dépassant. Je sautai de vélo pour ne pas tomber. La colère monta en moi.

Il était rare que je perde mon calme, mais les mots jaillirent malgré moi. « Sales types.. salauds ! » On avait tué des Hollandais pour bien moins que cela, mais que m'importaient les conséquences ? Je ne pouvais plus supporter l'occupant.

J'enfourchai ma bicyclette, sans cesser de vociférer contre les deux Allemands. Le conducteur arrêta sa motocyclette, tourna la tête et me regarda. Le moteur faisait un tel vacarme qu'il me vint à l'esprit que les deux hommes n'avaient peut-être pas entendu mes injures. Ils se retournèrent, éclatèrent de rire et continuèrent leur route.

Un tramway passait dans la rue au même moment. Encore tremblante de rage, je roulais lentement afin de lui laisser la priorité. Mais le conducteur fit un geste qui signifiait « chapeau » à mon adresse et m'invita à passer en premier. Il avait assisté à la collision, compris le danger de la situation, et il me rendait hommage à sa façon.

Mon cœur se mit à battre lorsque je pris conscience de l'imprudence que je venais de commettre.

En fin d'après-midi, je montai remettre un petit paquet et un livre à M. Dussel, et racontai mon histoire. Chacun s'émut du danger que j'avais couru. Plus tard, M. Frank m'apprit que le paquet contenait une publication antinazie interdite. Ils avaient tous été très inquiets de savoir que je l'avais sur moi. Quiconque était surpris en possession de cet ouvrage risquait l'emprisonnement ou la peine de mort. « Comment avez-vous osé faire courir à Miep un tel danger ? s'écria Anne à l'adresse de Dussel.

— Qui oserait toucher à un cheveu de notre Miep ? répliqua vertement Dussel.

— Lorsque Miep court un risque, nous sommes tous en danger », s'indigna Anne.

Un jour, Anne se mit dans la tête d'essayer ses vêtements. Elle voulait choisir ceux qu'elle porterait pour retourner à l'école. Elle était surexcitée, et un sourire nous vint aux lèvres à la vue des manches qui lui arrivaient au milieu des coudes. Sans parler des boutons : sa silhouette s'était tellement transformée, qu'il était vain de songer à les fermer. Anne le prit à la blague, pour mieux dissimuler sa déception.

Anne était spontanée, encore enfantine, mais on la sentait devenir peu à peu plus réservée, plus mûre. C'était une fillette qui était arrivée dans la cachette, c'était une femme qui en sortirait. Nous étions devenues complices. Souvent, sans qu'il fût nécessaire de prononcer un mot, je comprenais ce qu'elle éprouvait, ce qu'elle désirait. Une connivence tacite s'était tissée entre nous tout au long de ces jours, de ces mois, durant lesquels je m'étais efforcée de la comprendre et de satisfaire ses besoins.

Plus elle grandissait, plus notre compagnie lui était précieuse. Contrairement à Margot et Peter, qui restaient très secrets, Anne ressentait le besoin de confier ses pensées. Margot et Peter ne réclamaient jamais rien, ne manifestaient jamais aucune envie.

A ce moment plus encore qu'auparavant, Jan et moi représentions aux yeux d'Anne des personnages de roman. Les conditions terribles dans lesquelles elle vivait n'avaient en rien changé sa nature. Je comprenais combien Jan pouvait paraître séduisant aux yeux d'une jeune fille en herbe. Il était grand, beau, plein d'assurance. Il respirait la vitalité, l'intelligence. Et c'était un conteur né, une mine d'informations.

Anne avait souvent l'air de m'observer. Elle semblait admirer mon indépendance et ma confiance face aux événements. Je crois qu'elle appréciait aussi ma féminité. Elle ne tarissait pas de questions et d'éloges sur ma façon de m'habiller, de me coiffer. Avec ses cheveux bruns, épais et brillants, elle essayait de nouvelles coiffures, s'efforçait de donner un petit air de charme à ses vêtements, de se vieillir un peu.

Je me sentais particulièrement proche d'elle, à l'un des tournants les plus importants de son existence et dans une époque aussi sombre. Je savais combien les jeunes personnes de quatorze ans, déjà soucieuses de leur apparence, sont attachées aux jolies choses. C'était malheureusement ces choses-là que l'on ne trouvait plus à Amsterdam. Il y avait des jours où Anne se trouvait jolie, et d'autres où elle se figurait qu'elle était affreuse.

Déterminée à trouver quelque chose d'attrayant et de féminin pour elle, je finis par dénicher une paire de chaussures à talons en cuir rouge. Elles étaient d'occasion, mais en bon état. J'hésitais sur la taille, songeant à la déception d'Anne si elles ne lui allaient pas... Tant pis, je tentai ma chance et les achetai.

Je montai le soir même dans la cachette, les chaussures derrière mon dos, m'approchai d'Anne et les brandis devant elle. Je n'ai jamais vu une telle explosion de joie. Elle les enfila sans attendre. Elles étaient à sa taille.

C'était la première fois qu'Anne portait des talons hauts. Elle fit quelques pas, chancela, mais continua à marcher avec résolution, les lèvres serrées, parcourant la pièce de long en large, la démarche de plus en plus assurée.

A la fin de l'été et à l'automne 1943, les Hollandais non juifs âgés de seize à quarante ans furent contraints de partir en Allemagne dans le cadre du travail obligatoire. Certains furent convoqués, d'autres simplement arrêtés et embarqués de force dans un camion militaire alors qu'ils se rendaient à leur travail.

Cette nouvelle mesure apporta un élément de tension supplémentaire dans notre vie. Jan avait trente-huit ans et, compte tenu des privations, il était en parfaite santé.

Un soir où nous étions rentrés à la maison épuisés, comme nous l'étions chaque soir, Jan m'annonça qu'il avait quelque chose d'important à me dire :

« J'étais en train de me laver les mains dans les lavabos du bureau, il y a quelques jours, quand l'un de mes collègues que je connais très bien, un bon camarade, est venu me rejoindre. Après s'être assuré que nous étions seuls, il m'a demandé si je voulais me joindre à un groupe de résistants qui s'était organisé dans notre service. Il m'a prévenu que leurs actions étaient illégales et dangereuses.

« Je lui ai posé quelques questions : en quoi consistaient ces actions, qui y participait ? Il m'a indiqué que sur les deux cent cinquante employés, l'organisation en avait contacté huit. Puis il m'a donné le nom de certains de ces résistants. Un tel témoignage de confiance a emporté toute hésitation. J'ai accepté. »

J'écoutai en silence. Je ne voulais pas que Jan s'aperçoive de la frayeur qui me glaçait en l'entendant parler.

Jan poursuivit : « Dès que je lui ai fait part de mon acceptation, mon camarade m'a conduit chez un médecin attaché à la mairie d'Amsterdam. Nous avons eu un entretien. Il a noté mon nom, m'a dit que s'il m'arrivait d'avoir des ennuis ou des raisons de vouloir me cacher pendant quelques jours, je n'aurais qu'à me rendre dans un certain hôpital de sa part. Je serais admis dans l'établissement en question jusqu'à ce que les choses se calment, ou que je sois obligé de rentrer dans la clandestinité. »

J'attendis que Jan me donne des détails sur le dangereux travail dont il serait chargé, mais il n'en fit rien. Il se contenta d'ajouter : « Écoute, Miep, si je te dis tout cela, c'est pour que tu saches, au cas où il m'arriverait quelque chose, que je fais partie d'une organisation secrète de la Résistance. »

Je ne pouvais m'empêcher, étant sa femme, de laisser voir ma crainte qu'il lui arrive quelque chose. Mais, résistante comme lui, j'étais fière qu'il eût trouvé un moyen de lutter contre l'occupant.

Il me supplia de ne pas m'inquiéter : « S'il m'arrive de ne pas rentrer à la maison, attends simplement de recevoir un message. »

Comment pourrais-je ne pas m'alarmer ? pensai-je

« Sauf si c'est l'hôpital qui t'appelle pour te dire que j'ai des ennuis, il est inutile de te tourmenter », dit Jan.

Nous convînmes qu'il valait mieux de ne rien dire à nos amis. Jan ne voulut pas me fournir davantage d'explications, et je ne demandai rien. Néanmoins, prise d'une impression étrange, je me surpris à lui demander : « Jan, depuis combien de temps fais-tu ce travail ?

— Environ six mois, avoua-t-il. Je n'ai pas voulu t'en parler pour éviter de t'inquiéter. »

A Amsterdam, les rafles de Juifs se poursuivirent tout au long de l'été. Un dimanche, si mes souvenirs sont exacts, à la fin de l'été, par l'une des plus belles journées de l'année, les Allemands bouclèrent notre quartier des Rivières. Les rues furent barrées, des camions envahirent le quartier. Ils sillonnèrent les rues, chargés de policiers assis sur deux rangs dans leur uniforme vert-de-gris. Les forces de l'ordre bloquèrent les ponts, montèrent la garde aux carrefours afin que nul ne pût s'échapper.

Le quartier retentit du son strident des sifflets. Martèlement de bottes sur la chaussée, fracas des crosses de fusils sur les portes, coups de sonnette répétés, et cette voix brutale, terrifiante, qui hurlait en allemand : « Ouvrez ! Allons ! Pressez-vous ! »

Jan et moi ne mîmes pas le pied dehors. Du matin au soir, l'air désespéré, hommes, femmes et enfants, portant l'étoile jaune de David, chargés de sacs à dos et de valises, défilèrent dans notre rue, sous nos fenêtres, par petits groupes épars, poussés, bousculés, encadrés par la police verte. C'était un spectacle si déchirant, une vision tellement insoutenable, que nous nous détournâmes.

Tard dans la soirée, un coup timide fut frappé à notre porte. J'allai ouvrir. Sur le seuil se tenait une femme que j'avais parfois croisée dans l'immeuble. Agée d'une quarantaine d'années, toujours très élégante, elle travaillait dans l'une des boutiques de mode les plus prestigieuses de la place de Leyde, la maison Hirsch. J'admirais souvent les vêtements dans leurs vitrines, mais les prix dépassaient mes moyens.

Elle occupait avec sa vieille mère un appartement à l'étage au-dessus du nôtre. Elles étaient juives.

Elle portait dans ses bras une petite boule de poils et un panier à chat. « Je vous en prie, me dit-elle d'un air suppliant, accepteriez-vous de prendre mon chat et de le donner à la société protectrice des animaux, à moins... ses yeux étaient secs, agrandis par la peur ... à moins que vous ne vouliez le garder. »

Elle n'eut pas besoin d'en dire plus. Je compris que les Allemands venaient de l'arrêter et ne lui avaient laissé que peu de temps pour se préparer. Je tendis les mains. « Donnez-le-moi. »

Elle le mit dans mes bras. Jamais je ne donnerai ce chat, pensai-je. Jamais. « Je prendrai soin de lui jusqu'à votre retour », promis-je.

« Il s'appelle Berry », dit-elle, et elle partit.

Je regardai le chat. Il était blanc à l'exception d'une petite tache noire sur le dos, et il me fixait de ses yeux calmes. Je l'emportai dans notre appartement.

Il ne mit pas longtemps à se sentir chez lui. C'était un animal exquis et je m'attachai très vite à lui.

Dès ce jour, Berry fit partie de la famille. Le soir, il attendait le retour de Jan dans le couloir, bondissait vers lui dès qu'il le voyait apparaître, et allait se nicher dans son cou.

13.

Elli et moi confiâmes à Margot et à Anne de petites tâches de bureau à faire le soir pour nous aider — classer la correspondance, enregistrer les factures. Nous leur laissions le travail à accomplir dans le bureau du fond et le trouvions terminé à notre arrivée, le lendemain matin. Margot et Anne n'étaient pas autorisées à pénétrer dans le bureau en façade sur la rue dont on ne tirait jamais les rideaux.

Les fillettes étaient ravies de nous aider. On aurait dit des petites fées de la nuit. Une fois les employés partis et les portes fermées, elles descendaient à l'étage en dessous, effectuaient le travail que nous avions préparé à leur intention et remettaient chaque chose en ordre. Personne n'aurait pu deviner que quelqu'un s'était introduit dans le bureau.

Les bureaux du fond étaient utilisés à d'autres fins, en dehors des heures de travail et le week-end, quand c'était sans danger. Le Dr Dussel s'était mis à étudier l'espagnol, et il cherchait souvent à s'isoler dans le bureau de M. Frank pour travailler en paix. Nos amis essayaient par tous les moyens de préserver un peu d'intimité.

Situé près de la cuisine équipée d'un chauffe-eau, le cabinet de toilette du bureau était devenu l'endroit rêvé pour se laver à l'eau chaude, pendant le week-end. Je soupçonnais nos amis de descendre le plus souvent possible pour changer de décor ou simplement se retrouver seuls.

C'est le cœur lourd que nous vîmes l'hiver revenir. Un second hiver de réclusion. Nous avions tellement cru que la guerre serait finie. Mais nous gardions l'espoir que les prochains mois verraient la progression décisive de nos Alliés.

A l'approche de l'hiver, le comportement de Mme Frank devint étrange. Lorsque je quittais la cachette, elle me suivait en bas des escaliers, comme si elle voulait retarder le moment de me dire au revoir. Mais, une fois arrivée devant la porte camouflée par la bibliothèque, elle restait immobile sans rien dire, se contentant de me regarder d'un air implorant. J'attendais en vain qu'elle parlât. Elle restait étrangement silencieuse.

Son attitude me mettait terriblement mal à l'aise. Qu'attendait-elle de moi ? Lorsque je me rendis compte qu'elle ne désirait rien d'autre que m'entretenir en tête à tête, je pris un peu plus de temps pour m'isoler avec elle dans la chambre qu'elle partageait avec son mari et avec Margot. Nous nous installions sur le bord de son lit, et je l'écoutais parler.

Elle avait besoin de se confier, d'avouer à quelqu'un le désespoir qui l'habitait. Alors que les autres comptaient les jours avant l'arrivée des Alliés, imaginaient ce qu'ils feraient une fois la guerre finie, Mme Frank n'osait confesser qu'elle ne croyait pas en la fin de la guerre.

Elle se plaignit de Mme Van Daan, chose que personne ne s'était permis de faire auparavant. S'il existait des tensions et des conflits entre les occupants de l'Annexe, ils n'en faisaient jamais étalage en présence d'autrui. Mme Frank ressentait le besoin de s'épancher.

Elle reprochait à Mme Van Daan son intransigeance à l'égard de ses filles, d'Anne en particulier, dont elle désapprouvait le manque de retenue. Il semblait que Mme Van Daan profitait de l'heure des repas pour faire part de ses remarques. « Anne est impertinente, disait-elle. Elle est trop franche, trop indépendante. » Ces critiques mettaient Mme Frank dans tous ses états.

D'une voix sombre, elle me livrait les pensées qui la tourmentaient en secret.

« Miep, je ne vois pas la fin de tout cela, disait-elle. L'Allemagne ne sera plus jamais ce qu'elle a été. »

Je l'écoutais d'une oreille compatissante. Il m'arrivait d'être obligée d'interrompre ses confidences, car d'autres tâches m'attendaient, mais je ne la quittais jamais sans lui promettre que nous parlerions à nouveau de ce qui la rongeait.

Elle restait assise sur le lit, le visage empreint de tristesse et de découragement.

Quand vint l'hiver 1943, on aurait cherché en vain un seul Juif dans le quartier sud d'Amsterdam. Ceux qui n'avaient pas été déportés se cachaient, à moins qu'ils ne fussent parvenus à s'enfuir. Qu'était-il advenu de tous ces malheureux ? Les rumeurs les plus affreuses circulaient. Dans notre quartier, les déménageurs de chez Puls venaient régulièrement vider les appartements désertés par leurs occupants juifs. Très vite, des nouveaux venus s'installaient à leur place. Nous ignorions d'où ils venaient. Nous ne posions pas de questions. Nous savions que certains étaient des membres du NSB, prioritaires sur la liste des nouveaux logements.

Les seuls Juifs que l'on pouvait voir flottaient entre deux eaux dans un canal, où les avaient parfois jetés ceux-là mêmes qui les avaient cachés. La mort d'un clandestin était une des pires choses qui puissent arriver à ceux qui les aidaient. Que faire du corps ? Le problème était insoluble et d'une horrible cruauté : on ne pouvait offrir de sépulture décente à un Juif.

En second lieu venait la crainte de voir ceux que nous cachions tomber malades. Nous fûmes confrontés à ce problème au cours de l'hiver. Un soir, Jan et moi trouvâmes Karel van der Hart tordu de douleur, se tenant la tête à deux mains. Nous échangeâmes un regard consterné. Étant donné la situation illégale dans laquelle se trouvait Karel, il était impossible de l'emmener à l'hôpital. Nous ne pouvions compter que sur nous-mêmes.

Karel souffrait tellement que je mis un certain temps avant de localiser la douleur. Il avait l'impression qu'on lui enfonçait un couteau dans la tête.

Nous l'aidâmes à s'étendre sur le divan. Il continua à se tordre de douleur en gémissant. Je ne savais que faire. Je mis de l'eau à chauffer, y trempai un gant de toilette que j'appliquai sur son front, renouvelant l'opération à plusieurs reprises, sans être certaine de bien faire.

Jan se tenait dans le couloir, le visage anxieux. Les heures s'écoulèrent, interminables. Mes soins semblaient sans effet. Des pensées terrifiantes me traversaient l'esprit, mais je n'en continuais pas moins à presser mon gant chaud sur le front de Karel, à le réconforter obstinément, pendant toute la nuit. Les bruits de la rue derrière les rideaux du black-out m'annoncèrent que le jour s'était levé.

Soudain, Karel poussa une plainte déchirante. Du pus lui sortit des narines, s'écoula en flot continu, puis s'arrêta net. Karel cligna des yeux, prit une profonde inspiration. Il se redressa sur un coude et me regarda d'un air soulagé.

« Ça va mieux », dit-il.

Je ne sais toujours pas ce dont souffrait Karel. Nous eûmes beaucoup de chance : le mal passa comme il était venu.

L'hiver fut particulièrement froid et rigoureux. Il fallut affronter la pluie qui vous cinglait le visage, les chaussées glissantes, les queues interminables, la pénurie toujours plus cruelle. Avec onze personnes à nourrir, je devais redoubler d'énergie et d'invention. Je me sentais l'âme d'un chasseur, constamment à l'affût pour dénicher de quoi ravitailler ma couvée. Je m'efforçais de découvrir la moindre miette, ramassais le plus petit morceau. Je ne pouvais pas me permettre de tomber malade, ni de prendre un seul jour de congé.

La maladie que nous redoutions tant fondit sur nous. M. Koophuis souffrit à nouveau d'hémorragie de l'estomac et on dut l'hospitaliser. Puis ce fut mon tour : je me fis une entorse à la cheville et j'attrapai un rhume qui se transforma en grippe. Craignant d'exposer notre petit groupe à la contagion, je me forçai à rester au lit.

A moitié somnolente dans ma chambre obscure, tour à tour brûlante et glacée sous mes couvertures, je songeais à mes amis dans leur cachette, m'inquiétais de leur sort. Qu'allait-il advenir d'eux ? Cette préoccupation me rongeait jour et nuit. Qu'allait-il se passer ?

Je savais que les ressources des Van Daan diminuaient, que M. Koophuis avait déjà vendu quelques-uns de leurs biens en son nom, et qu'il tentait d'en écouler davantage au marché noir, y compris les fourrures de Mme Van Daan et certains de ses bijoux. Une année et demie d'isolement et de désœuvrement pesait sur les nerfs de chacun.

Margot et Peter se réfugiaient dans leur monde intérieur. Lorsque j'apparaissais, je sentais souvent de l'électricité dans l'air, même si chacun s'efforçait de faire bonne figure. Anne se renfermait, écrivait son journal, ou montait cacher sa tristesse dans le grenier.

L'anxiété me rendait encore plus malade. L'inactivité forcée me devint vite insupportable, je me levai et repris mon travail au premier signe de guérison.

C'est alors que la diphtérie condamna la famille d'Elli à l'isolement. Les risques de contagion étaient tels que Elli ne put venir travailler pendant plus d'un mois.

Avec cette vague de maladies, une atmosphère morose s'installa dans la cachette. Je cherchais ce qui pourrait leur apporter un peu de joie et de gaieté à l'approche de la fin de l'année. Je mis de côté les rares friandises que je pouvais encore trouver, économisai un peu de beurre et de farine. J'avais l'intention de leur faire un vrai gâteau.

Il était hors de question de fêter la Saint-Nicolas comme nous l'avions fait l'année précédente. Mais Anne avait retrouvé sa vitalité et, avec l'aide de son père, préparé une surprise. Elle avait composé huit compliments en vers, un pour chacun, huit petits poèmes de circonstance, moqueurs et saugrenus. Après avoir rempli de chaussures la corbeille de l'an dernier, elle avait glissé dans chaque soulier le poème destiné à son propriétaire.

Peu après la Saint-Nicolas, un énorme rhume cloua Anne au lit et un nouveau problème se posa : il ne fallait pas que l'on pût entendre ses quintes de toux pendant la journée. Jusqu'au jour de sa guérison, elle s'efforça de tousser et de renifler sous les couvertures pour étouffer le bruit. Je ne manquais jamais d'aller passer un moment avec elle lorsque je montais dans la cachette.

Pour Noël, Anne m'offrit avec fierté les friandises qu'elle avait confectionnées toute seule, connaissant ma gourmandise, en économisant en secret sur ses rations. Elle voulut sans attendre que j'apprécie ses talents de pâtissière et me regarda en riant me lécher les doigts.

Elle m'avait battue à mon propre jeu, ce qui renforça mon intention de lui confectionner le meilleur gâteau possible. Mes petites réserves de beurre et de sucre augmentaient. Les derniers jours de l'année approchaient, sombres, courts, empreints de tristesse. Les bombardements des Alliés sur l'Allemagne s'intensifiaient, le grondement des avions emplissait nos oreilles pendant la nuit.

Koophuis, Elli, Kraler, Jan et moi, nous décidâmes d'offrir nos présents le vendredi soir avant le nouvel an, après le départ des employés.

Jan arriva directement de son bureau. Il attendit de voir le dernier employé s'éloigner sur sa bicyclette avant d'entrer. Chargés de nos cadeaux, nous montâmes dans la cachette. Jan avait acheté de la bière au marché noir. Chacun de nous apportait quelques douceurs et j'avais fait mon fameux cake aux épices, le gâteau préféré d'Anne.

Notre apparition fut accueillie avec ravissement. La vue du gâteau mit l'eau à la bouche de nos hôtes. Mme Frank prépara de l'ersatz de café. On remplit les verres de bière. Anne attira l'attention sur l'inscription dont j'avais orné le dessus du gâteau. Nous portâmes un toast au message : Paix en 1944 !

Un soir, Jan tarda à revenir de son travail. J'étais rentrée à la maison, épuisée comme d'habitude. J'allumai le feu, préparai le repas, attentive aux bruits familiers qui annonçaient son arrivée : la porte qui s'ouvrait, la bicyclette qu'il rangeait dans l'entrée, Berry bondissant au-devant de lui.

Le temps passa. J'éteignis le feu sous la casserole et attendis. Berry, qui rôdait en général dans les jardins jusqu'à l'heure du retour de Jan, guettait comme moi son arrivée. Je fis un peu de rangement, sentant l'inquiétude monter en moi à mesure que s'écoulaient les minutes. Jan était très ponctuel. J'avais pris l'habitude de l'entendre pousser la porte chaque jour à la même heure.

Au cours des mois précédents, il m'avait donné quelques précisions sur ses activités dans la Résistance. Il m'avait dit que son organisation était chargée de s'enquérir des personnes qui avaient besoin d'aide, souvent des hommes contraints de se cacher après avoir refusé de participer au travail obligatoire en Allemagne, et qui n'étaient plus en mesure de subvenir à leurs besoins ou à ceux de leur famille.

Aujourd'hui, des hommes et des femmes devaient se terrer pour échapper au danger qui les menaçait. Des gens comme nous. Cela aurait pu être nous. Jan avait pour mission de leur rendre visite, en utilisant un mot de passe. Il déterminait leur besoins et, par l'intermédiaire de l'organisation, leur faisait parvenir le plus urgent — cartes de ravitaillement et argent. Son poste au service de l'assistance sociale de la ville d'Amsterdam lui procurait une couverture parfaite pour ses activités.

L'affolement me gagna peu à peu. Je ne savais plus que faire, vers où me tourner, à qui me confier. Jan s'était contenté de me dire qu'on me préviendrait s'il était pris. En cas d'arrestation, il était toujours préférable d'en savoir le moins possible.

La soirée s'avançait. J'étais morte d'inquiétude, incapable de repousser les pensées terrifiantes qui jaillissaient dans mon esprit : Jan avait été arrêté, il était blessé.

Je ne pus en supporter davantage. J'enfilai mon manteau et sortis dans la nuit glaciale. J'appelai le beau-frère de Jan de la cabine téléphonique la plus proche. Son activité professionnelle lui permettait d'avoir des relations dans la police municipale.

Il décrocha immédiatement. « Jan n'est pas rentré à la maison ! », m'écriai-je, sans lui laisser le temps de dire un mot.

A ma surprise, mon beau-frère éclata de rire. « Bien sûr, répliqua-t-il. Il est ici, en train de boire un verre avec moi. C'est mon anniversaire. »

Je poussai un soupir de soulagement, me sentant brusquement ridicule.

« Veux-tu lui parler ? me demanda-t-il.

— Non. Profitez de ce moment ensemble. Dis lui de ne pas se presser et, s'il te plaît, ne lui parle pas de mon coup de téléphone. »

Je regagnai notre appartement, mis un couvercle sur la casserole. Le repas attendrait le retour de Jan.

Partout, les affiches se multipliaient, clouées sur les poteaux indicateurs, collées sur les murs. Bordées de noir, elles donnaient la liste des résistants exécutés, mentionnant leurs nom, âge et profession. Les représailles contre ceux qui aidaient les Juifs devenaient chaque jour plus lourdes.

Nos amis aimaient savoir ce qui se passait à l'extérieur, surtout lorsqu'il s'agissait des actions de la Résistance. Jan leur rapportait ce qu'il pouvait leur dire dans les limites de la prudence. Le chat de Peter sur les genoux, il décrivait les actes de sabotage contre l'occupant. Anne était suspendue à ses lèvres. Elle buvait chacun de ses mots, les yeux étincelants.

Naturellement, Jan ne mentionna pas qu'il participait aux actions qu'il leur dépeignait. Il ne voulait pas les inquiéter. Nous avions préféré leur taire que nous cachions Karel chez nous. Nous évitions de leur parler de tout ce qui pouvait les effrayer et les angoisser.

En février, je tombai à nouveau malade — une forte bronchite avec de la fièvre. Le sort s'acharnait sur nous. Jan fit son possible pour prolonger ses visites dans la cachette, afin de compenser mon absence.

Bien qu'aucun d'eux ne se plaignît, je savais que le stock de provisions des Frank et des Van Daan s'épuisait. Je ne rapportais souvent que des denrées à moitié pourries. Nous souffrions tous de problèmes de digestion. Il devenait impossible de trouver des matières grasses, du beurre en particulier. Fumeur invétéré, M. Van Daan utilisait tout ce qui pouvait faire office de tabac, ou se privait de cigarettes, ce qui éprouvait terriblement ses nerfs.

Quand l'arrivée des Alliés allait-elle avoir lieu ? nous demandions-nous. On entendait dire depuis des mois que se préparait une attaque de grande envergure, une opération massive destinée à nous libérer. Nous l'attendions chaque jour.

En février 1944, j'eus trente-cinq ans. L'anniversaire de Margot tombait un jour plus tard. Elle avait dix-huit ans, cela méritait une attention particulière. Nous nous mîmes en quête de quelques petits cadeaux à son intention. Nous n'oubliions jamais aucun anniversaire.

Le jour de mon anniversaire, Mme Van Daan me prit à part. Elle me demanda de sortir avec elle dans le couloir. Je m'armai de courage, m'attendant à apprendre une mauvaise nouvelle, mais elle me regarda simplement au fond des yeux. « Miep, Herman et moi avons voulu faire un geste pour vous exprimer ce que les mots sont impuissants à dire, vous offrir un témoignage de notre reconnaissance et de notre amitié... Tenez... » Elle me tendit un petit paquet. « Ouvrez-le !

— Il ne faut pas... » commençai-je. Mais elle insista : « Ouvrez-le. »

A l'intérieur du paquet se trouvait une superbe bague ancienne, un onyx noir au centre duquel un diamant brillait de tous ses feux. Ma première réaction fut de protester, songeant au nombre de cigarettes et de saucisses que les Van Daan auraient pu obtenir au marché noir avec ce bijou, maintenant qu'ils puisaient dans leur patrimoine pour vendre tout ce qu'ils pouvaient, par l'intermédiaire de M. Koophuis.

Une main invisible pressa mes lèvres, retint mes paroles. Je réfrénai mes considérations pratiques, regardai Mme Van Daan au fond des yeux. « Je la porterai toujours, promis-je. En souvenir de votre amitié. » Je glissai la bague à mon index. Elle m'allait à la perfection. Avant de me quitter, Mme Van Daan me posa doucement la main sur l'épaule.

A la fin du mois de février, un second cambriolage nous mit en émoi. Cette fois-ci, on avait fouillé les pièces de fond en comble. La porte d'entrée était ouverte et battait au vent. La peur s'empara de nous. Le cambrioleur avait-il entendu du bruit dans la cachette ? Était-ce le même homme qui était venu la fois précédente ? S'il avait découvert quelque chose, irait-il le rapporter à la police, en vue d'obtenir une récompense ?

Les occupants de la cachette n'aimaient pas Frits van Matto, l'homme qui remplaçait M. Vossen à l'atelier. Bien qu'ils ne l'eussent jamais rencontré, ils ne lui faisaient pas confiance et nous interrogeaient fréquemment sur ses activités. Ils s'inquiétaient aussi de tous les gens aux abois qui erraient dans les rues d'Amsterdam. Beaucoup devenaient des voleurs.

Le mois de mars arriva, et avec lui la fin prochaine des jours sombres et froids de l'hiver. Nous avions plus de raisons que jamais de nous réjouir de la venue du printemps : il n'y avait plus de charbon et les coupures d'électricité se multipliaient.

Jan apprit que les fournisseurs des fausses cartes d'alimentation de nos amis s'étaient fait prendre. Soudain, un maillon de la chaîne de survie était coupé. Il n'y avait aucune échappatoire. Nous devions les prévenir. Grâce à ses activités clandestines, Jan parvint à obtenir cinq nouvelles cartes. C'était insuffisant pour nourrir huit personnes et il promit de faire son possible pour en trouver d'autres. Nos amis prirent les choses du bon côté, malgré leur appréhension.

Un matin, j'étais plongée dans une pile de factures, lorsque les cloches de la Westerkerk se mirent à carillonner. Il était midi. J'entendis les employés qui partaient manger chez eux, puis le silence régna. Jan devait venir déjeuner avec moi et j'attendis son arrivée en travaillant.

Le bruit de son pas me fit lever la tête. Il se tenait devant moi, le visage bouleversé. Il me dit qu'il devait me parler d'un problème grave. Le son de sa voix ne présageait rien de bon.

Nous allâmes marcher le long du canal. La glace fondait par blocs entiers. Jan entra tout de suite dans le vif du sujet : « Deux agents d'Omnia se sont présentés chez nous ce matin, au moment où je me préparais à partir. »

Omnia était une société allemande dirigée par les nazis hollandais. Elle avait pour but de liquider les propriétés et les biens des Juifs, ou de découvrir pourquoi les opérations de liquidation n'avaient pas encore été conclues.

« J'ai invité ces deux hommes à entrer chez nous. Je n'avais pas le choix. Je haussais la voix en leur ouvrant la porte, espérant que Karel m'entendrait et ne se montrerait pas. Tout en passant le mobilier en revue dans le salon, ils m'expliquèrent le but de leur visite. Il y a plusieurs années, le fils de Mme Samson avait fait des affaires dans le textile et utilisé l'appartement de sa mère comme adresse administrative. Le but d'Omnia était de découvrir, en me questionnant, ce qu'il était devenu.

« Je leur dis qu'à ma connaissance il s'était marié et avait déménagé dans un autre quartier d'Amsterdam avec sa femme. J'ignorais s'il s'y trouvait encore maintenant, ou s'il avait été arrêté. Je ne savais rien de plus à son sujet. Ce qui est l'absolue vérité.

« Ils se sont mis à fouiller l'appartement, ouvrant les tiroirs, parcourant les papiers de Mme Samson. J'étais mort de crainte à l'idée de voir apparaître Karel. Ils mettaient tout sens dessus dessous. Ils se sont emparés de documents que nous avions laissés en place sans jamais y toucher après le départ de Mme Samson.

« Puis ils me posèrent des questions sur moi. Depuis quand étais-je marié ? Comment étais-je entré en possession de cet appartement et de ces meubles ? J'avais à peine le temps de réfléchir. Il était hors de question de leur dire que le mobilier du salon et de la chambre appartenait à Mme Samson. »

Nous avions fait mettre l'appartement à notre nom, pour que personne ne puisse s'en emparer en tant que « biens juifs ». Mme Samson le retrouverait à la fin de la guerre. Nous avions dit à notre propriétaire, membre du NSB, que nous avions rassemblé quelques affaires appartenant à des Juifs dans la chambre de Mme Samson. Il n'avait pas manifesté grand intérêt, mais mon esprit galopait tandis que j'écoutais Jan. Notre propriétaire nous aurait-il dénoncé à Omnia ? Il était illégal de détenir des biens juifs sans autorisation. Le fait d'avoir prévenu notre propriétaire était notre seule sauvegarde, même si nous ne lui avions dit qu'une partie de la vérité. Nous n'avions jamais touché aux affaires de Mme Samson, ni jeté un seul coup d'œil sur ses papiers.

Jan poursuivit : « J'ai commencé par inventer une histoire sur la façon dont nous avions fait l'acquisition des meubles, mais ils ne voulurent rien entendre. ''Ce mobilier ne vous appartient pas'', déclarèrent-ils. Je me suis mis à discuter. Ils ont bien voulu croire que les meubles de la salle de séjour nous appartenaient, mais pas ceux de la chambre. ''Vous ne pouvez pas prouver qu'ils sont à vous'', s'entêtaient-ils. J'ai eu beau répéter que nous les avions achetés, ils ne m'ont pas cru. ''Très bien, nous reviendrons demain à une heure. Si vous refusez d'admettre la vérité, nous vous enverrons au camp de Vught.''

« Là-dessus, ils sont partis.

« Karel est alors apparu dans la salle de séjour. Je lui ai demandé s'il savait ce qui venait de se passer. Il avait entendu nos voix. Il était passé de pièce en pièce, se réfugiant dans la cour derrière la maison avant de se faufiler à nouveau dans la cuisine, l'entrée, la salle de bain. ''J'ai passé mon temps à vous devancer'', m'a-t-il dit. Il était très fier de lui. Mais Miep, je ne les laisserai pas prendre les meubles de la chambre », s'entêta Jan.

« Écoute, Jan, dis-je d'une voix ferme, nous pourrons racheter des meubles pour la chambre après la guerre. S'ils te prennent, je ne pourrai pas acheter un autre mari. Lorsqu'ils viendront demain à une heure, tu admettras que ces meubles ne nous appartiennent pas et tu les laisseras les emporter. Maintenant, allons déjeuner. Si nous n'avons plus de lit, nous dormirons par terre. »

Jan accepta mon point de vue, et attendit le retour des agents d'Omnia. Je me rongeai les sangs au bureau, impatiente d'avoir des nouvelles. Allaient-ils emmener Jan ? Jan me téléphona enfin. Personne ne s'était présenté.

Les jours passèrent. Les agents d'Omnia ne revinrent pas. Peu de temps après, Jan aperçut l'un d'eux dans le tramway. L'homme l'ignora et Jan fit de même. Quelques jours plus tard, il le revit à nouveau. Le même scénario se répéta. Nous restâmes dans l'attente. Reviendraient-ils ?

Nous imaginions à tort en avoir terminé avec les mauvaises surprises. Un soir, nous retrouvâmes Karel dans un état d'agitation extrême, les joues rouges, les yeux brillants.

« J'ai assisté à une course de chevaux, aujourd'hui », nous annonça-t-il.

Nous nous doutions qu'il sortait de temps en temps dans le voisinage, mais nous restâmes sans voix. Il poursuivit : « Il y a eu une rafle sur le champ de courses.

— Il ne t'est rien arrivé ?

— Non. Ils m'ont seulement demandé mon adresse.

— Quelle adresse leur as-tu donnée ?

— La vôtre. »

Le sang me monta aux joues. « Comment as-tu pu faire cela ? s'écria Jan. Ils vont venir te chercher, à présent. »

Karel eut soudain l'air de comprendre les conséquences de son acte.

Jan lui parla d'un ton grave. « Il faut que tu partes. Ni les uns ni les autres ne sont plus en sécurité, ici. »

Karel alla faire ses valises. Il quitta notre appartement sans nous dire où il allait. C'était trop dangereux.

14.

Lorsqu'il apparut que les agents d'Omnia ne se représenteraient plus et que la police ne recherchait pas Karel, nous décidâmes que ce dernier pouvait revenir se cacher chez nous. Lors de notre visite suivante à Mme Samson à Hilversum, nous découvrîmes que Karel était retourné chez sa mère. Il nous demanda s'il pouvait revenir à Amsterdam. Nous répondîmes que c'était bien notre intention de l'accueillir à nouveau, s'il en éprouvait l'envie.

Sur le trajet du retour, nous nous interrogeâmes. Karel serait-il vraiment en sécurité avec nous ? Nous ne savions que répondre. Il y avait quotidiennement des arrestations de personnes en situation illégale. On ne comptait plus les dénonciations, les descentes de police. Le prix offert pour dénoncer un Juif ou un clandestin montait chaque jour. Peu de temps après notre visite, Karel revint habiter avec nous. La routine reprit : parties d'échecs en solitaire, dîner à trois.

Nous nous trouvions à la maison le lundi de Pâques. C'était un jour férié et nous nous prélassions dans notre lit. Tôt dans la matinée, nous entendîmes frapper avec insistance à notre porte.

Je courus ouvrir. Jo Koophuis se tenait sur le seuil. Il était dans un état d'agitation extrême. Otto Frank venait de lui téléphoner. Il y avait eu un autre cambriolage au bureau et la situation paraissait grave.

Jan et moi, nous nous précipitâmes en direction du Prinsengracht. Les bureaux étaient dans un désordre indescriptible. Il y avait un énorme trou dans la porte. Les pièces avaient été mises à sac. Je me ruai vers la bibliothèque, sifflai pour les prévenir de notre arrivée, montai quatre à quatre l'escalier, Jan sur mes talons. Mon cœur battait. Dans quel état allions-nous retrouver nos amis ?

Ils s'étaient réfugiés au deuxième étage de la cachette. Je ne les avais jamais vus dans un désarroi pareil. Anne courut se jeter dans mes bras. Elle était en larmes. Les autres se pressèrent autour de nous, comme si notre contact pouvait les rassurer. Ils tremblaient de tous leurs membres.

Ils parlaient tous à la fois. Ils avaient entendu des bruits, étaient descendus jeter un coup d'œil dans le bureau, les bruits s'étaient rapprochés, et ils avaient pensé que des gens s'étaient introduits dans l'immeuble. Ils étaient restés sans bouger pendant toute la nuit, terrifiés à l'idée d'être découverts, certains que des policiers étaient venus rôder dans l'immeuble, s'étaient approchés de la cachette.

Jan descendit immédiatement réparer la porte. Je restai avec nos amis pour les réconforter, les apaiser.

M. Van Daan ne cessait de répéter : « Je n'ai plus de tabac. Que va-t-il me rester à fumer ? »

« Remettons les choses à leur place », proposai-je.

Lorsque la pièce eut retrouvé son aspect habituel, Jan revint. D'un ton sévère que je ne lui connaissais pas, il leur intima de ne plus jamais descendre dans les étages inférieurs. Surtout lorsqu'ils entendaient du bruit. « Ne franchissez jamais le seuil de la bibliothèque, quoi qu'il arrive. Si vous entendez un bruit, ne bougez pas. Restez silencieux et attendez. »

Il ne voulait pas les effrayer, mais les inciter à la prudence. Il leur rappela que des clandestins se faisaient prendre chaque jour par négligence, insouciance, oubli du danger qui rôdait.

M. Frank en convint : oui, quoi qu'il arrive, il fallait rester en haut ; ils avaient agi sans réfléchir. Cela ne se renouvellerait pas.

Le lendemain, Anne me rappela ma joie, le jour de mon mariage, quand, après la cérémonie, je m'étais enfin retrouvée hollandaise, et en sécurité. « J'aimerais être hollandaise, moi aussi, me confia-t-elle.

— Tu feras ce que tu voudras lorsque la guerre sera finie », promis-je.

Dans la vie de privations qui était la nôtre, l'éclosion du printemps représentait l'espoir. Anne m'entraînait jusqu'à la fenêtre du grenier, tendue d'un rideau qui s'était maculé avec le temps. Elle me montrait les bourgeons qui pointaient sur le grand marronnier derrière l'Annexe.

C'était un arbre magnifique, couvert de pousses d'un vert éclatant. Anne le surveillait jour après jour, m'expliquait avec quelle rapidité apparaissaient les premières feuilles.

Un matin, je me livrais à mes occupations quotidiennes, un peu moins pressée que d'habitude. Il faisait doux, bien que le fond de l'air restât frais. De gros nuages flottaient paresseusement dans le ciel. Je me rendis chez notre marchand de légumes du Leliegracht.

Je pris mon tour dans la queue, me tordant le cou pour regarder ce qu'il avait à l'étalage, à l'intérieur de la boutique. Lorsque vint mon tour, c'est la femme du commerçant qui vint me servir. Elle semblait bouleversée. « Que se passe-t-il ? lui demandai-je.

— Mon mari a été arrêté, chuchota-t-elle. Ils l'ont emmené. »

L'effroi me saisit le cœur. Les Allemands employaient tous les moyens pour faire parler ceux qu'ils prenaient.

Elle poursuivit. « Il cachait des Juifs. Deux. Je ne sais pas ce qu'ils vont lui faire. »

J'achetai en vitesse le minimum dont j'avais besoin, et la quittai.

Je songeais à cet homme sympathique qui m'avait toujours donné une ration supplémentaire de légumes, qui avait livré de lourds sacs de pommes de terre à l'immeuble du Prinsengracht. Il avait sûrement deviné que je ravitaillais des clandestins, mais il ne m'en avait jamais dit un mot. Qu'allaient-ils lui faire ? Que dirait-il sous la torture ? Parlerait-il de moi ?

L'arrestation de cet homme représentait une catastrophe pour nous. Grâce à lui et à sa complaisance, j'avais pu nourrir mes huit protégés. Que faire à présent ? Où aller ? Je parcourus nerveusement le Rozengracht, m'arrêtai devant une petite boutique située en sous-sol.

Le magasin était tenu par une vieille femme. Je pris l'habitude de m'y approvisionner. Cette femme m'inspirait confiance, et j'avais une idée derrière la tête. Je bavardais avec elle, un peu plus longtemps à chaque fois. Au bout d'un certain temps, je vis son visage s'éclairer lorsque j'arrivais. Puis elle se mit à me parler d'elle, des difficultés qu'elle éprouvait avec ses enfants. Je l'écoutais, lui témoignais de la compassion. Se sentant bien avec moi, elle me parlait de plus en plus de ses problèmes.

J'attendis d'être certaine de sa sympathie à mon égard pour lui demander progressivement des rations supplémentaires. Elle me donnait ce que je désirais, tout en continuant à vider son cœur. De temps en temps, je retournais dans la boutique du Leliegracht. J'achetais quelques bricoles. Je ne voulais pas attirer la curiosité en cessant de m'y approvisionner.

Sachant que les Alliés avaient besoin d'un ciel clair pour débarquer, nous comptions chaque jour de beau temps. Il y eut plusieurs superbes journées en mai, et le débarquement n'avait toujours pas lieu.

Dans la cachette, la conversation ne portait que sur l'imminence du débarquement. Une atmosphère de fièvre s'était emparée de nos amis, comme s'ils croyaient que tous leurs problèmes se résoudraient avec l'arrivée des Alliés sur le continent. Ils avaient des discussions passionnées avec Jan, cherchaient à deviner où se dérouleraient les opérations.

J'attendais le débarquement avec la même impatience. La pénurie de vivres était telle que, pour la première fois, je me demandais combien de temps encore je parviendrais à nourrir tout le monde. Il m'arrivait d'aller de boutique en boutique, de tenter ma chance au marché noir, et de ne pas trouver de quoi nourrir onze personnes.

Enfin, le jour tant attendu arriva. Les Alliés avaient débarqué en Normandie ! La nouvelle fut annoncée à la BBC, tôt le matin du 6 juin. Privés de radio, Jan et moi n'en sûmes rien avant de quitter la maison, mais il y avait un bourdonnement dans l'air, presque de l'électricité, lorsque je sortis dans la rue pour me rendre au bureau. Les gens parlaient avec une animation nouvelle, et je pédalais vers le Prinsengracht, rayonnante d'allégresse.

M. Koophuis me saisit par le bras. « Ça y est ! Ils ont débarqué ! » Dans la cachette, la fièvre régnait. L'oreille collée contre la radio, ils attendaient d'autres informations. Le général américain Eisenhower devait prendre la parole.

Combien de jours mettraient-ils pour atteindre les Pays-Bas ? C'était la question que nous nous posions tous.

Jan arriva en courant à l'heure du déjeuner, les joues rougies par l'excitation. Réunis autour de la radio, nous attendîmes le discours du général américain. Pour la première fois, nous entendîmes la voix posée du général Eisenhower. Il donna au 6 juin le nom de Jour J, et nous essuyâmes nos larmes lorsqu'il nous assura que 1944 serait l'année de la victoire définitive sur les Allemands.

Chaque jour, les punaises épinglées sur la carte que M. Frank avait collée sur le mur, se rapprochaient de la Hollande. Anne eut quinze ans en juin. Comme nous le faisions pour tous les anniversaires, nous souhaitâmes le sien avec des petits cadeaux. Elle changeait, grandissait à vue d'œil, mais elle restait la benjamine, la plus enjouée et la plus vive d'entre nous.

Elle consommait rapidement le papier que je mettais de côté pour elle. Je savais qu'elle en avait besoin pour rédiger son journal ou pour faire ses devoirs. Pour son anniversaire, Elli et moi rassemblâmes une pile de copies vierges. J'apportai aussi des bonbons achetés au marché noir.

Peu avant l'anniversaire, Peter, généralement peu loquace, me prit à part et me glissa quelques pièces de monnaie dans la main, en me priant d'acheter de jolies fleurs pour Anne. Sa demande me surprit. Il se tenait devant moi, avec sa silhouette robuste et ses boucles noires. C'est un gentil garçon, pensai-je, découvrant cet aspect nouveau de la sensibilité de Peter.

« C'est un secret, Miep, ajouta-t-il.

— Bien sûr ». Nous n'en dîmes pas plus.

Je ne trouvai qu'un modeste bouquet de pivoines roses. Deux taches rouges apparurent sur ses joues lorsque je le lui remis, et il disparut dans sa chambre sous l'escalier avec ses fleurs.

Un jour de juillet, l'un des représentants de la Travies nous apporta un grand cageot de fraises fraîchement cueillies, encore pleines de sable. « C'est un cadeau pour le personnel du bureau », dit-il. Une telle quantité de fruits mûrs était une véritable bénédiction !

Les employés ne travaillaient pas le samedi après-midi. A midi il ne resta plus que Victor Kraler, Jo Koophuis, Elli et moi. L'un de nous monta prévenir nos amis qu'ils pouvaient se déplacer en toute tranquillité.

L'idée me vint alors de faire de la confiture de fraises. Je ne manquai pas d'assistants. Les fruits furent équeutés, nettoyés, lavés. L'opération se déroulait dans les deux cuisines, celle de la cachette et celle du bureau, invisible de la rue. Chacun y mettait du sien ; l'odeur forte et sucrée des fruits en train de bouillir se répandait dans toutes les pièces. Nos protégés montaient et descendaient. Je les entendais bavarder, rire et plaisanter. On aurait dit que la vie était redevenue normale, que chacun pouvait aller et venir à sa guise.

Experte en confitures, j'étais chargée de donner les instructions, bien que personne ne prît au sérieux mes remontrances lorsque j'en surprenais un en train de manger des fraises au lieu de les mettre dans la bassine. La bouche pleine, Anne n'arrivait plus à parler, tout comme Peter et Mme Van Daan. Je finis par éclater de rire en m'apercevant que je les grondais en me gavant moi-même de fruits.

Dans la clandestinité

L'air sentait la fraise. Blottis l'un contre l'autre, Mouschi et Moffie ronronnaient dans la douceur de cet après-midi d'été.

Par une chaude journée de juillet, je décidai de monter à l'improviste dans l'annexe. J'avais fini mon travail, le bureau était calme, silencieux, presque endormi. Je savais qu'une visite-surprise ferait plaisir à nos amis. Le temps passait plus vite lorsqu'ils avaient de la compagnie.

En passant devant la chambre de M. et de Mme Frank, j'aperçus Anne, seule devant la fenêtre tendue d'un rideau.

J'entrai. La pièce était sombre, et je mis un moment avant de m'habituer à l'obscurité. Anne était assise devant la vieille table de cuisine. De sa chaise, elle pouvait entrevoir le grand marronnier dans la cour, sans être vue de l'extérieur.

Elle écrivait et ne m'avait pas entendue entrer. Je m'apprêtais à repartir lorsqu'elle leva les yeux, surprise, et me vit derrière elle. Au cours des mois, Anne s'était souvent montrée d'humeur changeante, mais elle restait toujours affectueuse à mon égard, pleine de gentillesse et de tendresse. Je n'avais jamais vu l'expression que reflétait alors son visage. Les sourcils froncés, comme si elle souffrait d'une violente migraine, elle fixait sur moi un regard sombre, hostile. Je restai sans voix. La jeune fille qui écrivait à cette table n'était pas celle que je connaissais. Je restais figée, comme hypnotisée par ses yeux lourds de reproche.

Mme Frank avait dû m'entendre. Elle s'avança doucement près de moi et je compris au son de sa voix qu'elle s'était rendu compte de la situation. Elle parla en allemand, langue qu'elle n'employait que dans les situations délicates, avec un ton où se mêlaient l'ironie et l'indulgence : « Comme vous le voyez, ma chère Miep, nous avons une fille écrivain. »

A ces mots, Anne se leva brusquement. Elle referma son cahier et, gardant cette même expression sur le visage, dit d'une voix que je ne lui connaissais pas : « Exactement... et il m'arrive aussi d'écrire à votre sujet. »

Elle continua à me regarder. Il fallait que je dise quelque chose. Je ne pus que murmurer d'une voix blanche : « C'est très gentil. »

Je fis demi-tour et m'en allai. Le regard d'Anne m'avait bouleversée. Je savais que son journal était devenu essentiel dans son existence. J'avais l'impression d'avoir violé un instant d'intimité, d'avoir fait irruption dans une amitié très secrète. Je regagnai mon bureau. J'étais en plein désarroi, incapable de me concentrer sur mon travail. Je venais de voir une Anne différente. Contrariée par mon irruption dans la chambre, elle m'avait offert un visage que je découvrais pour la première fois.

La voix d'Hitler sur les ondes prit des intonations hystériques. Ses discours étaient souvent incohérents. Il était clair qu'il s'efforçait d'insuffler de nouvelles forces à ses troupes en déroute. Il clamait que les usines allemandes étaient en train de fabriquer des armes miracles, capables d'infliger des coups décisifs aux Alliés. C'était la voix d'un fanatique acculé à la défaite et non celle d'un chef des armées.

Les Alliés avaient beau approcher, la vie à Amsterdam était plus difficile que jamais. Il m'arrivait de rester assise à mon bureau en tapotant de mon crayon le rebord de la fenêtre, le regard fixé sur le canal. Je ne parvenais plus à me concentrer. Je me sentais trop faible pour continuer. Je pensais à mes amis, si silencieux et si proches au-dessus de moi. Mon Dieu, pensais-je, que puis-je faire de plus ? Existe-t-il, quelque part en ville, un commerçant chez qui je ne me sois déjà rendue ? Qu'allons-nous devenir ?

Dans ces moments de découragement, le pire était de n'avoir personne à qui confier mes angoisses. Il n'était pas question d'en parler à ceux qui m'étaient le plus proches, M. et Mme Frank, pas plus qu'à M. Koophuis, qui m'écoutait pourtant toujours d'une oreille attentive. Je ne pouvais même pas m'en ouvrir à Jan. Il faisait sa part de travail clandestin, et n'avait pas besoin de soucis supplémentaires.

Je rentrais exténuée à la maison. Jan aussi était à bout de forces. Nous nous efforcions de ne pas nous plaindre. Je préparais le meilleur dîner possible. Karel bavardait, heureux de retrouver de la compagnie après de longues heures de solitude. Jan et moi l'écoutions en silence.

Malgré le couvre-feu, nous allions parfois rendre visite à nos amis de l'autre côté de la rue. Nous écoutions les informations en hollandais que diffusait la radio de Londres.

La voix familière s'élevait : « Bonsoir, Ici Radio Orange, depuis Londres. D'abord, quelques annonces : le rouge-gorge marche sur le toit. La bicyclette a un pneu crevé. La voiture se dirige vers le mauvais côté de la route. »

Nous écoutions ces communiqués sans aucune signification pour nous, mais dont nous savions qu'ils représentaient des messages codés à l'intention des résistants.

Radio Orange transmettait ensuite des informations sur la brigade « Princesse Irene » qui combattait auprès des Canadiens, sur les deux cent cinquante aviateurs hollandais qui s'étaient joints à la RAF.

Vers la fin du mois de juillet, nous entendîmes parler d'une très sérieuse tentative d'assassinat contre Hitler. Pendant plusieurs heures, on crut le Führer mort, mais la radio allemande diffusa sa voix, pour prouver qu'il était bien vivant.

Quelques jours plus tard, Radio Orange annonça que le douzième groupe d'armées du général Bradley avait enfoncé le front allemand. Nous apprîmes ensuite que le général Patton avait pris Avranches. Il semblait que le front occidental fût percé de part en part et que la résistance allemande s'effondrât.

Pour moi, ce genre de nouvelles était le meilleur des remèdes.

La nuit, couchée dans mon lit, j'entendais les bombardiers anglais qui se dirigeaient vers l'Allemagne, les tirs de la défense antiaérienne. Le jour, nous percevions au loin le vrombissement des avions américains. Je retrouvais un regain d'énergie. le soir, Radio Orange nous donnait la liste des villes touchées : Hambourg, Berlin, Stuttgart, Essen, décrivant l'ampleur des dégâts infligés.

Je me contentais d'espérer que l'effondrement des Allemands et la fin de cette guerre atroce ne tardent pas trop. Nous savions tous que c'était imminent.

Les jours les plus noirs

15.

C'était un vendredi comme les autres. Le 4 août 1944. J'étais montée à la cachette dès mon arrivée pour prendre la liste des courses à faire. Mes amis m'avaient accueillie avec joie, toujours heureux de voir quelqu'un de l'extérieur, après le long isolement de la nuit. Comme d'habitude, Anne avait des tas de questions à me poser et j'avais promis de revenir l'après-midi, et que nous aurions une vraie conversation, quand je rapporterai les provisions. J'étais ensuite redescendue dans mon bureau et m'étais mise à mon travail.

Elli Vossen et Jo Koophuis travaillaient à leur table, en face de moi. A un moment, entre onze heures et midi, je levai la tête. Un homme, vêtu en civil, se tenait dans l'encadrement de la porte que je n'avais pas entendu s'ouvrir. Il pointait un revolver dans notre direction. « Restez où vous êtes, dit-il en néerlandais. Ne bougez pas. »

Il se dirigea vers le bureau du fond dans lequel se trouvait M. Kraler, nous laissant seules. Nous étions pétrifiés.

« Miep, je crois que l'heure a sonné », murmura Jo Koophuis.

Elli se mit à trembler de tous ses membres. M. Koophuis restait les yeux fixés sur la porte. L'homme au revolver était apparemment venu seul.

Dès qu'il eut quitté notre bureau, je sortis de mon sac les fausses cartes d'alimentation, l'argent et le repas de Jan. C'était à peu près l'heure à laquelle il venait déjeuner. Il n'allait pas tarder. Peu de temps après, j'entendis en effet le bruit familier de ses pas dans l'escalier. Sans lui laisser le temps de pénétrer dans notre bureau, je bondis à sa rencontre, le saisis par le bras : « Jan, les choses tournent mal. »

Tout en lui fourrant dans les mains ce que je tenais, je le repoussai en arrière. Il comprit immédiatement et fila.

Je repris ma place à mon bureau, là où l'homme au revolver m'avait dit de ne pas bouger, le souffle court.

Dès que Jan fut parti, M. Koophuis s'aperçut qu'Elli était très secouée, et pleurait. Il fouilla dans sa poche, lui tendit son portefeuille. « Allez à la pharmacie du Leliegracht. Le propriétaire est un ami. Il vous laissera utiliser le téléphone. Téléphonez à ma femme, racontez-lui ce qui est arrivé, et disparaissez. »

Elli me lança un regard terrifié. Je hochai la tête en signe d'acquiescement. Elle prit le portefeuille et se précipita dehors.

M. Koophuis me regarda longuement. « Miep, vous pouvez partir, vous aussi.

— Je ne peux pas. » C'était vrai, je n'aurais jamais pu.

Nous restâmes tous deux sans bouger, assis, comme nous en avions reçu l'ordre, pendant trois quarts d'heure ou une heure. Puis un autre homme entra dans notre bureau et ordonna à Jo Koophuis de le suivre chez M. Kraler. Je restai seule, sans savoir ce qui se passait dans le reste de l'immeuble, trop effrayée pour oser imaginer ce qui pouvait arriver.

J'entendis une porte s'ouvrir. La porte du vestiaire était aussi ouverte. M. Koophuis rentra, sans refermer la porte, afin de me permettre de jeter un coup d'œil dans le vestiaire entre le bureau de M. Kraler et le nôtre. Il était suivi par un Allemand qui lui dit, en allemand : « Donnez les clefs à cette jeune femme », avant de retourner dans le bureau de M. Kraler.

Koophuis s'approcha de moi, me tendit les clefs. « Miep, dit-il, arrangez-vous pour rester en dehors de tout cela. »

Je secouai la tête.

Il plongea son regard brûlant dans le mien. « Si. Faites en sorte de ne pas vous compromettre. Ce qui peut être sauvé ici ne tient qu'à vous. Tout dépend de vous. »

Sur ces mots, sans attendre ma réaction, il me serra la main et regagna le bureau de Kraler, refermant la porte derrière lui.

Pendant tout ce temps, je ne pensais qu'à deux choses : premièrement, l'accent de cet Allemand ne m'était pas inconnu ; deuxièmement, ils pouvaient croire que j'ignorais la présence de gens cachés dans l'Annexe.

Quelques minutes plus tard, le Hollandais armé d'un revolver, entra à nouveau. Sans prêter attention à ma présence, il s'assit à la place d'Elli, en face de moi, et composa un numéro de téléphone. Je l'entendis demander qu'on lui envoie une voiture.

Il avait laissé ouverte la porte donnant sur le couloir. J'entendis la voix sèche de l'Allemand, puis la voix de M. Kraler, de nouveau celle de l'Allemand, et je compris soudain ce qui m'avait paru familier : il avait l'accent viennois. Il parlait exactement comme mes parents naturels, ceux que j'avais quittés depuis de si longues années.

Lorsqu'il revint dans mon bureau, son ton avait changé et je compris qu'il ne me considérait plus comme innocente. Il avait manifestement deviné que j'étais aussi dans le coup. Il se planta devant moi. « A votre tour, à présent », dit-il d'un ton rude. Il se pencha et prit les clés que Koophuis m'avait données.

Je me levai et, si près que je pouvais sentir son haleine chaude sur mon visage, je le regardai droit dans les yeux. « Vous êtes viennois, dis-je en allemand. Moi aussi, je suis originaire de Vienne. »

Il resta stupéfait, s'attendant à tout sauf à cela. Il me parut soudain moins sûr de lui. « Vos papiers ! Vérification d'identité », vociféra-t-il.

Je lui tendis ma carte d'identité, sur laquelle on pouvait lire : Lieu de naissance : Vienne. Nationalité de l'époux : hollandaise. Il examina ma carte et sembla alors remarquer la présence du policier en civil en train de téléphoner. « Fichez le camp d'ici ! » cria-t-il, l'interrompant au beau milieu de sa communication.

L'homme raccrocha et sortit, la mine déconfite. Puis l'Autrichien alla fermer la porte du couloir. Nous étions seuls, lui et moi.

Dans un geste de fureur, il me jeta ma carte d'identité à la figure, se pencha vers moi, presque courbé en deux sous l'effet de la rage. « N'avez-vous pas honte d'aider ces ordures de Juifs ? » cria-t-il. Puis il se mit à me maudire, à proférer des injures, à me traiter de traître, me promettant le pire châtiment. Il semblait hors de lui. Je restais droite,immobile, sans réagir à ses paroles. Plus il hurlait, plus il perdait le contrôle de lui-même. Il se mit à parcourir la pièce de long en large. Soudain, il pivota sur place et interrogea : « Que vais-je faire de vous ? »

Je sentis alors que la situation se retournait un peu à mon avantage. J'eus l'impression d'avoir grandi de quelques centimètres. Il m'examina. Je devinais presque ce qu'il pensait : Voilà deux personnes, l'une en face de l'autre, qui sont du même pays, de la même ville. L'un chasse les Juifs, et l'autre les protège. Il se calma. Son visage prit une expression plus humaine. « Pour des raisons personnelles... par une mesure personnelle de protection de ma part, vous pouvez rester ici, déclara-t-il sans cesser de me dévisager. Mais Dieu vous vienne en aide si vous vous enfuyez. Nous arrêterons votre mari. »

Oubliant toute prudence, je ne pus m'empêcher de m'écrier : « Laissez mon mari tranquille. Ce sont mes affaires. Il n'a rien à voir dans cette histoire. »

Il poussa un grognement, rejeta la tête en arrière avec morgue. « Ne faites pas l'imbécile avec moi. Il est aussi impliqué que vous. »

Il se dirigea vers la porte, l'ouvrit et se tourna vers moi. « Je reviendrai m'assurer que vous n'êtes pas partie. »

Vous pouvez faire ce que vous voulez, aller au diable, pensai-je, je resterai ici.

« Je vais revenir, répéta-t-il. Un faux pas et, vous aussi, vous vous retrouvez en prison. » Il sortit, me laissant seule dans la pièce.

Où était-il parti ? Que se passait-il dans le reste de l'immeuble ? J'étais dans un état d'anxiété épouvantable, j'avais l'impression de tomber dans un trou sans fond. Que pouvais-je faire ? Je me rassis, complètement assommée.

C'est alors que derrière le bureau privé de M. Kraler, et derrière notre bureau, j'entendis les pas de nos amis dans le couloir, puis dans le vieux petit escalier en bois. A leur façon de marcher, je devinais qu'ils avançaient comme des chiens battus.

Je restais assise, pétrifiée. J'avais perdu la notion du temps. A un moment donné, les deux employés de l'atelier montèrent me dire qu'ils étaient désolés, qu'ils ne s'étaient doutés de rien. Van Matto entra, dit quelque chose, et je vis que l'Autrichien lui avait donné les clés qu'il m'avait prises. Je ne savais pas l'heure qu'il pouvait être. Le nazi hollandais était arrivé vers onze heures ou midi. Il était environ une heure trente quand j'avais entendu les pas de nos amis dans l'escalier. Soudain, Elli fut de retour. Jan était arrivé, et je me rendis compte qu'il était cinq heures et que la journée était passée.

Jan ordonna tout de suite à Frits van Matto : « Dès que les employés seront partis, fermez la porte et venez nous rejoindre. » Lorsqu'il fut de retour, Jan nous dit à tous les trois, Elli, Van Matto et moi : « Maintenant, allons voir la situation là-haut. »

Van Matto tenait à la main les clés que l'Autrichien lui avait données. Nous nous dirigeâmes tous les quatre vers la bibliothèque. La porte était fermée à clé. Elle n'avait pas été forcée. Heureusement, j'avais gardé un double sur moi. Nous ouvrîmes et entrâmes dans la cachette.

Du seuil, je vis immédiatement que l'endroit avait été fouillé de fond en comble. Les tiroirs étaient ouverts, leur contenu répandu sur le plancher. Tout était sens dessus dessous, dans un désordre indescriptible. C'était un spectacle de désolation.

J'entrai dans la chambre de M. et de Mme Frank. Sur le plancher, au milieu d'un monceau de papiers et de livres, mon œil fut attiré par le petit cahier à couverture de tissu orange à carreaux que M. Frank avait offert à Anne pour ses treize ans. Je le montrai à Elli d'un geste. Elle se pencha et me le tendit. Je me souvins du bonheur d'Anne le jour où elle avait reçu ce cahier pour y noter ses pensées. Je savais combien il lui avait été précieux. Mes yeux parcoururent les amas d'effets éparpillés dans la pièce, à la recherche d'autres pages écrites par Anne. J'aperçus des vieux livres de comptes, des feuilles volantes qu'Elli et moi lui avions donnés lorsqu'elle n'avait plus eu suffisamment de pages dans son cahier. Encore très bouleversée, Elli attendait que je lui dise quoi faire. « Aide-moi à rassembler tous les papiers d'Anne », lui ordonnai-je.

Nous rassemblâmes rapidement des poignées de feuillets couverts de l'écriture serrée d'Anne. Mon cœur battait à tout rompre. L'Autrichien pouvait revenir et nous surprendre, alors que ces « biens juifs » étaient désormais saisis. Jan avait les bras pleins de livres, y compris ceux de la bibliothèque et les manuels d'espagnol de Dussel. Il me lança un regard qui m'invitait à me presser. Van Matto se tenait, mal à l'aise, sur le seuil de la porte. Elli et moi transportions les papiers. Jan s'engagea dans l'escalier. Van Matto se hâta à sa suite. Elli était derrière, apeurée. Je fermai la marche, tenant la clé dans ma main.

Au moment où j'allais quitter la cachette, j'entrai dans le cabinet de toilette. Mes yeux tombèrent sur le châle d'Anne, le fichu en coton beige, si doux, avec ses roses colorées et ses petits motifs. Il était resté suspendu au portemanteau. Malgré mes bras encombrés de papiers, je le pris avec moi. Je ne sais toujours pas pourquoi.

M'efforçant de ne rien laisser tomber, je me penchai pour refermer la porte de la cachette et regagnai notre bureau.

Elli et moi restâmes un instant hésitantes, avec notre chargement de feuillets. « Tu es la plus âgée, dit-elle. C'est à toi de décider ce qu'il faut faire. »

J'ouvris le dernier tiroir de mon bureau et commençai à y ranger le cahier orange, les vieux livres de comptes, et les feuilles de papier. « Je vais tout garder, dis-je à Elli en lui prenant les autres papiers des mains. Je les garderai pour Anne, pour le jour où elle reviendra. »

Je repoussai le tiroir, sans le fermer à clé.

Lorsque nous nous retrouvâmes le soir à la maison, Jan et moi, nous étions accablés. Au dîner, nous nous assîmes l'un en face de l'autre, écoutant à peine le bavardage familier de Karel, attendant d'être seuls pour parler de ce qui était arrivé. Jan me raconta ce qu'il avait fait après s'être éloigné avec l'argent et les fausses cartes de ravitaillement.

« Je me suis rendu directement à mon bureau, avec l'argent et les cartes de rationnement. J'ai mis quatre minutes, au lieu des sept habituelles, malgré mes efforts pour ne pas courir. Je ne voulais pas attirer l'attention, au cas où je serais surveillé.

« Une fois arrivé, j'ai sorti les pièces à conviction de ma poche et les ai cachées au milieu d'autres documents dans mon classeur. Je réfléchissais à toute vitesse. Trop nerveux pour attendre sans rien faire, j'ai décidé d'aller voir le frère de Jo Koophuis, qui est directeur d'une fabrique de montres à deux pas de mon bureau.

« Je l'ai mis au courant de la situation. Il est resté frappé de stupeur. Nous nous sentions impuissants. J'ai fini par lui suggérer de m'accompagner jusqu'au Prinsengracht et de nous poster au coin de la rue, sur l'autre rive du canal. De là, nous pourrions observer ce qui se passait. C'était la meilleure solution, et c'est ce que nous avons fait.

« Presque aussitôt, un camion vert foncé de la police allemande s'est arrêté devant le 263. Il n'y avait personne en vue, la sirène du camion était coupée.

« Il s'est garé à moitié sur le trottoir. Nous apercevions les portes de l'immeuble dans notre champ de vision. Soudain, la porte principale s'est ouverte. Pressés les uns contre les autres, chacun portant un petit paquet, nos amis ont franchi le seuil de la porte et se sont dirigés vers le camion. Il m'était difficile d'apercevoir leur visage de là où nous étions. Koophuis et Kraler se trouvaient parmi eux. Deux hommes en civil les escortaient. Ils ont fait monter le groupe de prisonniers à l'arrière du camion et se sont ensuite installés à l'avant. Je n'ai pu voir si tu étais parmi eux.

« Quand tous les prisonniers ont été embarqués, un policier en uniforme vert a claqué la porte, et le camion a démarré et pris le Prinsengracht dans la direction opposée à notre poste d'observation. Il a franchi le pont, tourné à angle droit et est revenu vers nous, de notre côté du canal. Avant que nous ayons pu esquisser un mouvement pour ne pas nous faire remarquer, il est passé à moins de cinquante centimètres de l'endroit où nous nous étions dissimulés. Les portières étaient fermées et je n'ai pas pu voir à l'intérieur. J'ai détourné la tête.

« Ignorant qui se trouvait à la Travies, ce qui se passait sur place et s'il y avait encore du danger, nous sommes retournés à nos bureaux et avons attendu la fin de la journée pour regagner le Prinsengracht. »

Jan et moi, nous nous regardâmes. Il restait une chose à faire, et nous n'avions pas le cœur de l'exprimer. Finalement, Jan poussa un gros soupir. « J'irai demain matin. » Le lendemain, il alla prévenir Mme Dussel de l'arrestation.

« Elle l'a pris avec beaucoup de courage, me raconta-t-il plus tard. Elle était très étonnée d'apprendre que, pendant tout ce temps, son mari se trouvait en plein milieu d'Amsterdam. Elle s'était toujours imaginé qu'il était parti se cacher à la campagne, lui qui n'était pas le genre d'homme à aimer la nature. »

Le lendemain, encore sous le choc, j'allai travailler comme d'habitude. Étant donné mon ancienneté, je pris la direction de l'affaire. Mes années de travail avec M. Frank, depuis 1933, m'avaient permis de connaître tous les rouages de la société.

Ce jour-là, plusieurs des représentants de la Travies revinrent de leurs tournées et je dus les mettre au courant des récents événements. M. Frank était très aimé. La nouvelle les attrista profondément.

L'un d'eux s'approcha de moi. « Puis-je vous parler en particulier, madame Gies ? » me demanda-t-il. Nous entrâmes dans un bureau vide et je l'écoutai.

« Madame Gies, j'ai une idée. Nous savons tous que la guerre sera bientôt finie. Les Allemands veulent rentrer chez eux. Ils sont à bout. Ils ne voudront pas repartir les mains vides, ils vont chercher à emporter de l'argent. Si vous alliez trouver ce nazi autrichien ? Il ne vous a pas arrêtée, peut-être vous écoutera-t-il. Vous pourriez lui demander quelle somme lui conviendrait en échange des personnes qu'il a arrêtées hier. Vous seule pouvez le faire. »

Je le regardai sans rien dire. Je me souvins brusquement qu'il était un membre du NSB. Cela ne l'empêchait pas de manifester sa compassion. Il me revint à l'esprit qu'avant d'entrer dans la clandestinité, M. Frank m'avait parlé de cet homme. Il savait qu'il s'était engagé dans le parti nazi hollandais, car il en portait l'insigne épinglé au revers de sa veste. « Vous pouvez lui faire confiance, Miep, m'avait dit M. Frank. Ce n'est pas un nazi très convaincu. Il est célibataire et je crois qu'il s'est laissé entraîner dans le NSB par la bande de jeunes qu'il fréquentait. »

Le souvenir des paroles de M. Frank m'incita à lui faire confiance et je me rangeai à son idée. Il m'expliqua son plan plus en détail. « M. Frank était très aimé. Si je fais une collecte auprès des employés, nous parviendrons à rassembler une somme confortable à offrir à cet Autrichien. »

Je téléphonai immédiatement à l'état-major de la Gestapo, Euterpestraat, au sud d'Amsterdam. Dès que j'eus le policier autrichien en ligne, je me présentai et lui demandai en allemand s'il pouvait me recevoir. « C'est pour une affaire très importante », ajoutai-je.

« Ja », répondit-il. Il me donna rendez-vous pour le lundi matin, à neuf heures.

Le lundi matin, donc, je me rendis à l'état-major de la Gestapo. L'emblème nazi noir et rouge flottait à l'entrée. L'endroit grouillait d'Allemands en uniforme.

Il était notoire que ceux qui entraient dans ces lieux n'en sortaient pas toujours. J'y pénétrai et demandai à un soldat en faction où se trouvait le bureau du policier autrichien.

Il me l'indiqua et je m'y rendis directement. La pièce, de dimension moyenne, était occupée par plusieurs personnes en train de taper sur leurs machines à écrire. L'Autrichien était assis derrière son bureau, dans un coin. Il me faisait face. Il s'appelait Karl Silberbauer.

Je m'avançai jusqu'à lui, tournant le dos aux autres employés. Déconcertée par le fait qu'il n'était pas seul, que tout le monde pouvait nous entendre, je me postai devant lui, frottai mon pouce contre mon index — geste universel pour désigner l'argent.

Il comprit. « Je ne peux rien faire aujourd'hui, dit-il. Revenez demain matin, à neuf heures pile. » Et il baissa la tête, me signifiant mon congé.

Tôt le lendemain matin, j'étais de retour. Silberbauer était seul. J'en vins tout de suite au fait. « Combien voulez-vous pour libérer les gens que vous avez arrêtés l'autre jour ?

— Je regrette, dit-il, mais je ne peux rien faire pour vous. Nous venons de recevoir des ordres très stricts. Je ne peux agir aussi librement que je le voudrais. »

Je ne sais ce qui me prit, mais je lui criai : « Je ne vous crois pas ! »

Il ne se mit pas en colère, mais se contenta de hausser les épaules et de secouer la tête. « Dans ce cas, montez voir mon chef à l'étage supérieur », fit-il simplement en m'indiquant le numéro du bureau.

Décidée à maîtriser le tremblement qui m'avait saisie, je me forçai à gravir l'escalier. Je frappai. Personne ne répondit. Je poussai la porte.

Autour d'une table ronde se tenaient plusieurs officiers nazis. Leurs casquettes posées à côté d'eux, ils écoutaient la radio placée au milieu de la table. C'était un communiqué en anglais. Je reconnus sans peine la BBC.

Tous les yeux se tournèrent vers moi. Je me rendis compte que je venais de les surprendre en train de commettre un crime de haute trahison, puni de mort. Je savais qu'ils pouvaient faire de moi ce qu'ils voulaient. N'ayant plus rien à perdre, je demandai : « Qui est l'officier en chef ? »

L'un d'eux se leva. Le visage menaçant, les lèvres retroussées, il se dirigea vers moi et posa brutalement sa main sur mon épaule. « *Schweinhündin* », « salope », gronda-t-il, en me repoussant dehors. Il me fusilla d'un regard méprisant et me claqua la porte au nez.

Mon cœur battait à tout rompre. Redoutant à chaque seconde d'être arrêtée, je rejoignis le bureau de Silberbauer. Il m'attendait. Il m'interrogea d'un haussement de sourcils. Je secouai la tête. « Je vous avais prévenue, n'est-ce pas ? fit-il. Maintenant, filez. »

Il n'y avait plus d'espoir. L'Autrichien ne se laisserait pas émouvoir. J'avais tout tenté.

La Gestapo était partout dans les couloirs, comme des mouches en uniforme. Pas à pas, prudemment, je me dirigeai vers la sortie. Je pensais : les gens qui entrent ici n'en ressortent pas tous. Je mettais un pied devant l'autre, m'attendant à ce qu'on m'arrête.

Je me retrouvai dans la rue, stupéfaite d'avoir pu si facilement gagner la sortie.

Au bureau, chacun voulait jeter un regard sur le journal d'Anne. Ma réponse ne variait pas. « Non. Personne n'a le droit de le lire. Même si ce sont les pensées d'une enfant, elles n'appartiennent qu'à elle. Je remettrai ce journal à Anne, et à Anne seule. »

J'étais hantée par l'idée qu'il restait peut-être d'autres pages du journal d'Anne dans la cachette. J'appréhendais de remonter là-haut. A plusieurs reprises, Silberbauer était venu vérifier ma présence au bureau. Il passait la tête par la porte, « Je voulais m'assurer que vous n'étiez pas partie », disait-il simplement. Je n'avais rien à lui répliquer. Il avait vu ce qu'il voulait. Il tournait le dos et s'en allait.

Je redoutais de franchir à nouveau le passage de la bibliothèque, de revoir les pièces vides. Je n'avais pas le courage de monter le petit escalier de bois.

Mais je savais que, dans trois ou quatre jours, l'entreprise Puls viendrait ramasser les « biens juifs » pour les envoyer en Allemagne. Je chargeai Van Matto d'une mission : « Lorsque les déménageurs viendront vider la cachette, vous monterez avec eux, sous prétexte de les aider. Ramassez tous les papiers portant l'écriture d'Anne et rapportez-les-moi. »

Les déménageurs se présentèrent le lendemain. Un grand camion se gara devant notre porte. Incapable de les regarder entasser, les uns après les autres, tous les objets qui m'étaient devenus si familiers, je m'écartai de la fenêtre. Je ne pouvais pas y croire. J'imaginais que nos amis vaquaient encore à leurs occupations au-dessus de ma tête.

Van Matto fit ce que je lui avais demandé. Lorsqu'il ne resta personne dans les parages, il me tendit une pile de papiers couverts de l'écriture d'Anne. Sans les lire, je les rangeai soigneusement avec les autres dans le tiroir du bas de mon bureau.

Après le départ du camion de chez Puls, le silence était revenu dans le bureau. Je regardai la pièce : Mouschi, le chat de Peter, s'avançait vers moi. Il s'approcha, se frotta contre mes chevilles. Il avait dû se sauver pendant l'arrestation, et se cacher jusqu'alors.

« Viens Mouschi, lui dis-je avec fermeté. Viens dans la cuisine. Je vais te donner un verre de lait. Désormais, tu resteras au bureau, avec Moffie et moi. »

16.

Karel n'était plus en sécurité chez nous. Il rassembla rapidement ses affaires, et nous quitta pour Hilversum dans l'espoir de revenir un jour. Nous lui promîmes de le prévenir lorsque tout danger serait écarté.

En l'absence de Jo Koophuis, de M. Kraler et de M. Frank, je restais seule à pouvoir m'occuper de la Travies. Du fait que je n'avais pas été arrêtée, et que c'était donc une chrétienne qui était responsable de la société, l'entreprise Puls n'avait touché à rien dans les bureaux, et nous avait laissé nos coûteux moulins à épices. Je comprenais à présent pourquoi M. Koophuis avait insisté pour que je ne sois pas impliquée dans l'affaire. J'étais nécessaire à la survie de la société, même si je regrettais qu'on ne m'eût pas emmenée avec mes amis. Connaissant tous les détails du fonctionnement de l'entreprise, j'en devins responsable. Seul problème : je n'avais pas la signature des chèques pour payer le personnel.

Je me rendis à la banque de notre compagnie et demandai à voir le directeur. Il me reçut dans son bureau. C'était un homme jeune, séduisant ; marié, me dit-il. Je le mis au courant des arrestations survenues dans nos bureaux, et lui dis que je voulais essayer de gérer les affaires pour M. Frank en son absence, en précisant que j'avais besoin de signer les chèques pour payer les employés et les factures des fournisseurs.

Il m'écouta jusqu'au bout. « Votre signature conviendra, dit-il à la fin. J'autoriserai les paiements. Nous vous accorderons les sommes que vous demanderez. »

Ainsi, même si nous avions connu le pire, la vie continua au 263 Prinsengracht. Comme avant, la société reçut et livra les commandes d'épices pour les saucisses et de pectine pour les confitures.

Hans Vossen, le père d'Elli, mourut. Son cancer l'avait fait horriblement souffrir et sa mort fut presque un soulagement.

Jan poursuivait ses activités dans la clandestinité, malgré le risque accru que cela représentait pour lui. Tant de jeunes Hollandais comme lui se cachaient, refusant d'être recrutés pour le travail obligatoire. Il y avait tant de gens à aider !

Peu après l'arrestation, Jan revint un soir à la maison dans un état de nervosité inhabituel. Il me raconta qu'il venait d'échapper de justesse à un danger en se rendant chez l'un de ses « clients » dans l'illégalité.

« Comme beaucoup de gens dans ce quartier, ils avaient laissé la porte de l'immeuble ouverte. Je suis donc monté directement à leur étage. J'ai l'habitude de ne pas sonner. Au moment où j'allais donner le mot de passe, comme convenu, j'ai entendu une voix masculine parler en allemand. Je savais que ces gens m'attendaient. Mais je savais aussi que la présence d'un homme dans leur appartement était anormale. Le seul homme de la famille se cachait chez un fermier, à la campagne. Je devais faire preuve de la plus extrême prudence.

« J'ai continué à écouter. Un homme et une femme parlaient en allemand. Peut-être s'agissait-il de voix à la radio, ou encore d'une visite anodine. Je ne pouvais pas me permettre de prendre un risque. Je suis parti. De retour au bureau, j'ai fait un compte rendu de l'incident à mon contact dans notre organisation. »

Peu après, son supérieur hiérarchique décida que Jan n'était plus en sécurité. Il ne pourrait plus être utile. Les nazis étaient sur nos talons. Jan représentait plus un risque qu'un atout pour ceux qu'il aidait.

Son supérieur supprima de ses tournées la visite des clandestins.

Les Alliés se rapprochaient à toute vitesse. Le 25 août, la France fut libérée après quatre longues années d'occupation. Le 3 septembre, ce fut le tour de Bruxelles. Le lendemain, celui d'Anvers.

Notre tour viendrait.

Le 3 septembre, la BBC annonça que les Anglais étaient entrés à Breda, au sud de la Hollande. Un vent d'optimisme souffla sur Amsterdam. Le 5 septembre, baptisé *Dolle Dinsdag* — « le mardi fou » — l'armée allemande commença à battre en retraite.

Ce n'étaient plus les jeunes soldats à la mine arrogante, resplendissants de santé dans leur bel uniforme, qui avaient défilé dans Amsterdam en mai 1940. Quatre ans après, ils avaient l'air aussi misérables que nous, dépenaillés, emportant avec eux tout ce qu'ils avaient pu rafler au passage.

En train, à bicyclette, par les moyens de transport les plus variés, nous vîmes les Hollandais qui avaient collaboré avec les nazis au long de ces années fuir vers l'Allemagne ou vers l'est des Pays-Bas.

Personne ne savait exactement ce qui se passait, pas même les soldats allemands.

On sortit des cachettes le drapeau hollandais rouge-blanc-bleu qui se remit à flotter au vent. Bravant l'interdiction de manifester, les gens se rassemblèrent par petits groupes dans les rues. Certains avaient fabriqué des étendards en papier aux couleurs de l'Angleterre, que les enfants gardaient à la main, prêts à les agiter dès l'apparition des libérateurs.

Mais cette journée passa, ainsi que les suivantes. Rien ne se produisit. Lentement, les Allemands reprirent possession des lieux, comme s'ils n'étaient jamais partis. La nouvelle que les Anglais étaient entrés au sud de la Hollande se révéla fausse. L'euphorie du 5 septembre retomba, mais nous savions tous que la date de notre libération n'était plus qu'une question de jours.

La vie continua dans l'attente. Le 17 septembre, la reine Wilhelmine s'adressa aux trente mille cheminots hollandais et leur demanda de se mettre en grève, espérant paralyser ainsi les transports militaires allemands. Son allocution remplit nos cœurs d'émotion. Avec conviction, elle pria instamment les travailleurs de se montrer prudents, de prendre garde aux représailles. Son avertissement en disait long. Les grévistes étaient passibles de la peine de mort, à cette époque.

Survint un autre mardi de folie, plus confus encore que le précédent. La BBC annonça que les Anglais et les Américains avaient parachuté des hommes et des vivres à Arnhem, et que Eisenhower lui-même se trouvait sur la rive ouest du Rhin, à la frontière allemande. Les cheminots se mirent en grève. Le lendemain, tous les transports s'arrêtèrent.

Rapidement, les grévistes durent rentrer dans la clandestinité. Les Allemands étaient ivres de rage. Le pays tout entier retenait son souffle en attendant l'arrivée de nos libérateurs.

Un matin, je téléphonai au frère de M. Koophuis pour lui demander un renseignement. J'avais pris l'habitude de lui demander conseil pour mon travail. « Vous devriez poser la question à mon frère, Miep », me répondit-il.

Je restai stupéfaite de cette mauvaise plaisanterie. « Comment le pourrais-je ? Il se trouve dans le camp de concentration d'Amersfoort.

— Pas du tout, répliqua-t-il. Il vient de partir pour le bureau. Allez jeter un coup d'œil dans la rue. »

Je trouvai cruel de sa part de se moquer. Mais il insista : « Allez voir, Miep. C'est la vérité. »

Je laissai tomber le téléphone et me précipitai dehors. Me croyant devenue folle, Elli courut derrière moi.

Mon cœur battait à tout rompre. Je regardai d'un côté et de l'autre de la rue. Soudain, je vis apparaître M. Koophuis sur le pont entre le Bloemgracht et le Prinsengracht. Il agitait les bras.

Elli et moi courûmes à sa rencontre, criant son nom sans nous soucier des gens qui nous regardaient. J'arrivai à sa hauteur, tombai dans ses bras. Nous nous étreignîmes longuement, riant et pleurant tout à la fois.

Parlant tous en même temps, nous rentrâmes au 263.

Je ne pouvais détacher mon regard de lui. Pour un homme qui revenait d'un camp de concentration allemand, il me paraissait dans une forme meilleure que jamais. Maigre, certes, mais avec un teint coloré, un éclat dans les yeux que je ne lui avais jamais vu auparavant.

Je lui fis part de mes réflexions. « La nourriture au camp était détestable, dit-il en riant. Carottes crues, betteraves crues, brouet à l'eau.... Vous ne le croirez jamais... pour la première fois depuis des années, mes ulcères ont disparu. Ce régime m'a guéri ! »

L'émotion m'emportait comme une vague de bonheur.

« Et les autres, après l'arrestation ?... »

Il secoua la tête. « Nous étions ensemble au début, tous les dix, mais Kraler et moi fûmes vite séparés des autres. Je n'ai plus jamais eu de nouvelles. »

Son retour en bonne santé me remplit d'espoir pour nos amis. C'était grâce à la Croix-Rouge que Jo Koophuis était revenu si rapidement.

Nous continuâmes à attendre l'arrivée de nos libérateurs. Les jours passaient lentement. Vers la fin du mois de septembre, le mauvais temps s'installa. Rien n'avait changé pour nous ; les Allemands étaient toujours là. En fait, ils étaient plus brutaux, plus assoiffés de vengeance que jamais. Peu à peu, notre espoir de les voir partir commença à s'émousser.

En représailles contre la grève des trains, les Allemands réquisitionnèrent les transports ferroviaires civils. Ils réservèrent les trains conduits par leurs hommes à leur propre usage, et stoppèrent l'approvisionnement en vivres et en charbon de la population. Que leur importait que nous mourions de faim et de froid ! Chaque jour plus succinct, le ravitaillement parvint à Amsterdam et Rotterdam par voie fluviale. Il devint de plus en plus difficile de trouver quelque chose à manger. Le plus modeste des repas demandait des heures et des heures de queue, de magasin en magasin.

Peu de jours avant la fin du mois de septembre, nous apprîmes avec horreur que les Anglais avaient été battus à Arnhem. Tous nos espoirs s'évanouirent. La progression des Alliés semblait arrêtée. Les Allemands s'incrustaient. Nous étions désespérés. Pis que tout, un autre hiver s'annonçait. Le temps était détestable, les pluies inhabituellement froides pour la saison. Personne n'avait plus l'énergie nécessaire pour affronter la rigueur à venir.

La voix d'Hitler hurlait sur les ondes de la radio officielle, promettant l'arrivée prochaine d'armes puissantes. Puis Aix-la-Chapelle tomba entre les mains des Alliés : ce fut la première ville allemande à se rendre.

C'était aussi la ville où Edith Frank et ses filles avaient attendu que M. Frank se fût établi à Amsterdam avant de venir le rejoindre. Si près de la Hollande, et pourtant si loin.

Des milliers de Hollandais aryens avaient été expédiés en Allemagne en fourgons, tout comme les Hollandais juifs. Des milliers d'hommes d'âge adulte étaient entrés dans la clandestinité. On ne voyait plus que des femmes, des enfants et des hommes de plus de quarante ans dans les rues d'Amsterdam. C'était pure chance que Jan fût toujours là. La rumeur courait que Hitler allait recruter des garçons de quinze ans, des hommes de soixante ans.

La situation se détériora rapidement lorsque les fleuves et les canaux gelèrent en novembre, paralysant le transport des vivres par péniche. Les prix du marché noir doublèrent, triplèrent... Depuis un certain temps, je me rendais à pied à mon travail. Rouler à bicyclette représentait un trop grand risque. Les Allemands prenaient les vélos en état de marche et laissaient les propriétaires plantés au beau milieu de la rue. Je ne voulais pas perdre ma bicyclette. Nous en avions besoin pour d'autres occasions.

Depuis le retour de M. Koophuis, nous faisions chaque jour, matin et soir, un bout de chemin ensemble pour aller au bureau et en revenir. Le trajet prenait plus d'une heure. Il faisait généralement un temps affreux, gris et bruineux. Grâce à son travail d'assistant social, Jan possédait un permis de circuler à bicyclette qui lui évitait d'être inquiété par la police allemande. Mais la pénurie de pneus l'obligea bientôt à laisser son vélo à la maison. Il préférait le garder pour d'autres tâches. Jan aussi dut aller travailler à pied.

Nous n'avions plus de charbon pour nous chauffer, plus de gaz pour faire la cuisine, plus de tramways et, par intermittence, plus d'électricité. Les Allemands subvenaient d'abord à leurs propres besoins en électricité, et approvisionnaient ensuite les hôpitaux et autres organismes prioritaires.

Étant donné la rareté des transports, les habitants d'Amsterdam se virent contraints d'aller se ravitailler à la campagne. Ils utilisèrent pour cela tous les moyens : charrettes à bras, landaus, bicyclettes munies de roues en bois, brouettes... Nous nous contentions déjà de peu. Désormais, la population se mit à vivre au jour le jour, à la limite de la famine, dans un état de faiblesse effroyable.

Je fis, moi aussi, plusieurs expéditions à la campagne. Chaque fois plus loin. Un jour, la femme de l'un de nos représentants m'accompagna. Nous partîmes avant l'aube, décidant de nous diriger aussi loin que possible vers le nord, et d'être de retour à Amsterdam pour le couvre-feu de vingt heures. Nos bicyclettes étaient munies de véritables pneus en caoutchouc, et nous prîmes le risque de les utiliser pour l'occasion.

Nous allâmes de ferme en ferme, implorant, offrant de l'argent, des draps, ce que nous avions à vendre. Nous parvînmes à amasser quelques vivres, pommes de terre, betteraves, carottes.

Conscientes d'avoir fait de nombreux kilomètres vers le nord, nous rebroussâmes chemin aussi rapidement que possible. Pour une fois, le temps était clément.

Nous dépassâmes deux hommes qui poussaient un chariot. Nous étions désolés pour eux : les pauvres n'avaient aucune chance de regagner Amsterdam avant le couvre-feu de huit heures.

Il se faisait tard, et nous accélérâmes. Soudain, mon amie creva. Il ne nous restait plus qu'à pousser nos bicyclettes. Certaines, à présent, de ne pas atteindre Amsterdam avant vingt heures, nous décidâmes qu'il valait mieux chercher un endroit pour dormir dans le prochain village, puis de rentrer tôt dans la matinée du lendemain. Nous nous heurtâmes alors à un nouvel obstacle : aucun des fermiers ne permit aux inconnues que nous étions de passer la nuit dans sa grange. Nous étions affolées. Que faire ?

C'est alors que les deux hommes que nous avions dépassés nous rattrapèrent. « Il y a une solution, dit l'un d'eux, en voyant notre embarras. Vous allez mettre vos bicyclettes dans notre chariot et vous marcherez à nos côtés. Nous dirons que vous êtes nos épouses. »

Nous nous consultâmes du regard, méfiantes. « Nous sommes employés à la poste, poursuivit-il. Nous possédons des permis spéciaux pour circuler après le couvre-feu. »

Nous restions sur nos gardes. L'homme continua : « Je ne veux pas vous inquiéter, mais nous allons bientôt arriver à un poste de contrôle allemand. »

Sans réfléchir plus longtemps, nous casâmes nos vélos dans le chariot, et joignîmes nos efforts aux leurs pour le pousser.

Il y avait effectivement un poste de contrôle allemand, non loin de là. Nos compagnons s'y rendirent seuls.

Nous restâmes près du chariot, mortes de peur. Les Allemands pouvaient faire ce que bon leur semblait, y compris prendre notre ravitaillement. Les deux postiers restèrent à l'intérieur pendant un long moment. Lorsqu'ils sortirent, ils arboraient un large sourire : « Tout va bien. Nous pouvons continuer. »

Nous reprîmes la route, poussant de plus belle. Les Allemands ne nous avaient pas demandé nos papiers. Nos compagnons transportaient des carottes et des betteraves. Il était plus de minuit, lorsque nous atteignîmes le port d'Amsterdam, l'Y. Nous venions de rater le dernier ferry. Le prochain ne partait pas avant une heure du matin. Heureusement, la nuit était douce. Nous attendîmes, épuisées.

Une fois de l'autre côté du port, nous fîmes un bout de chemin ensemble par les rues silencieuses. Arrivées au pont Berlage, nous quittâmes « nos maris ».

Il fallut à nouveau pousser nos bicyclettes. Mon amie habitait non loin de là. Effrayées à l'idée de nous faire prendre, nous ne prononçâmes pas un mot jusqu'à la porte de son appartement, transportâmes à l'intérieur ravitaillement et bicyclettes avant de nous écrouler, mortes de fatigue. Je dormis chez elle, me réveillai aux aurores et pédalai jusqu'à la maison dans la lumière bruineuse et blafarde de l'aube.

Jan et moi avions de quoi ne pas mourir de faim pendant quelques semaines de plus.

Quand vint l'hiver, les gens n'avaient plus que la peau sur les os. Nos vêtements étaient élimés, usés jusqu'à la corde. Les enfants portaient des chaussures trouées au bout, ou encore des morceaux de planches ou de cuir retenus par de la ficelle en guise de souliers.

On abattait les grands arbres qui bordaient les canaux, ces arbres dont nous étions si fiers, pour les transformer en bois de chauffage. Les voitures roulaient au gaz de ville, contenu dans des réservoirs en forme de ballon placés sur le toit ou avec des gazogènes qui ressemblaient à des fourneaux ventrus munis de cheminées sur le côté. La plupart des bicyclettes avaient des roues en bois.

Durant les sombres et longues soirées d'hiver, pour nous éclairer, nous faisions brûler une mèche de coton dans un fond d'huile qui flottait à la surface d'un verre d'eau. La mèche donnait une flamme jaune, minuscule et tremblotante, vacillant au moindre courant d'air.

Le linge bouillait sans savon d'aucune sorte et sentait l'aigre et la transpiration. Les plus pauvres avaient la peau couverte de rougeurs, de dartres. Il y avait très peu d'eau chaude. A cause du manque de transports, Karel ne put regagner Amsterdam. Nous ignorions si nous étions en sécurité, mais nous lui avions écrit qu'il pouvait revenir se cacher chez nous, s'il le désirait. Mais il n'y avait pas de trains.

Malgré les coupures d'électricité et la pénurie de charbon, la Travies n'avait pas cessé ses activités. L'affaire tournait au ralenti, mais suffisamment pour subvenir à nos besoins. On trouvait encore des ersatz d'épices pour la fabrication des saucisses. Beaucoup de sociétés avaient fermé. On lisait sur les portes : FERMETURE POUR MANQUE DE CHARBON. Je me demandais souvent si c'était réellement l'affaire qui avait fermé, ou s'il y avait des gens cachés à l'intérieur, espérant que l'inscription découragerait les patrouilles allemandes.

La plupart de nos clients, à présent, étaient des bouchers. Pour l'assaisonnement destiné au remplissage des saucisses, nous utilisions de la poudre de coquille de noix achetée en gros et des arômes artificiels que nous fournissait une usine de produits chimiques à Naarden. Le mélange n'avait aucun goût mais prenait la consistance et l'arôme du produit réel qui servait de liant à la viande hachée pour la fabrication des saucisses.

Ces bouchers faisaient des saucisses à partir de Dieu sait quoi, étant donné qu'on ne trouvait pratiquement plus de viande. Nous ne posions pas de questions, mieux valait rester dans l'ignorance.

L'un de nos clients habituels était un cuisinier d'origine allemande. Un brave homme, en dépit de sa nationalité. Dès le début de l'occupation, il avait été enrôlé dans les cuisines de l'armée allemande. Au début, il avait eu affaire à M. Kraler. Aujourd'hui, c'était M. Koophuis qui traitait avec lui. Il payait toujours en liquide et nous invitait à venir le trouver si nous avions des problèmes de ravitaillement, promettant de nous venir en aide. Le seul ennui était qu'il travaillait à Kampen, loin dans l'est.

Arriva un moment où nous n'eûmes presque plus rien à manger. M. Koophuis me pressa d'aller voir cet homme. Je partis avec l'amie qui m'avait accompagnée la première fois. Elle n'avait plus de bicyclette. Nos voisins lui en prêtèrent une.

A nouveau, nous partîmes dans la lumière grise de l'aube. Le trajet était long jusqu'à Kampen et nous roulâmes pendant toute la journée. Le ciel était gris. Il faisait froid. Les routes étaient couvertes de neige à moitié gelée et trouées d'ornières. Nous croisions des gens qui allaient de ferme en ferme, en quête de nourriture, poussant des bicyclettes cassées ou des landaus. Des malheureux enveloppés dans tout ce qu'ils possédaient en matière de vêtements.

Nous atteignîmes Kampen et le campement militaire où travallait notre client. Il nous introduisit directement dans la cuisine. Nous étions le 15 février 1945, jour de mon anniversaire. « Asseyez-vous, dit-il. Vous pouvez manger tout ce que vous voulez. »

Il y avait si longtemps que je n'avais pas mangé à ma faim, que le beurre et les matières grasses avaient disparu de mon alimentation ! « En l'honneur de votre anniversaire », dit-il en disposant devant nous les mets les plus riches, de la viande, du beurre crémeux.

Trop longtemps privées de nourriture, nous mangeâmes jusqu'à nous donner une indigestion, et ne tardâmes pas à nous sentir affreusement malades. L'estomac brouillé, le cœur au bord des lèvres, j'étais incapable de bouger, incapable de quitter le campement, alors que notre intention était de passer la nuit dans une ville des environs, chez un pasteur que nous avait recommandé un ami, avant de rentrer à Amsterdam avec notre ravitaillement.

Pris de panique, notre cuisinier ne savait que faire de nous. Il finit par nous loger pour la nuit dans une cellule de prison vide. Il nous y porta à moitié, prenant garde de passer inaperçu, et promit de venir nous chercher le lendemain à cinq heures du matin, avant de refermer la porte de la cellule.

Il n'y avait là qu'un seau vide. Pas de couverture. Rien. Le seau ne resta pas vide longtemps. Je fus malade durant toute la nuit — fièvre, frissons, crampes... Je crus mourir.

A cinq heures du matin, le cuisinier revint comme convenu, et nous pressa de partir, me soutenant jusqu'à ma bicyclette. En dépit de mes souffrances, je n'avais pas oublié les vivres que je devais rapporter à Amsterdam. Je trouvai l'énergie de monter sur mon vélo, cachant la plus grande partie de mon ravitaillement sous mes vêtements, et m'éloignai en compagnie de mon amie, qui était en bien meilleure forme que moi.

Très vite, nous arrivâmes à un pont gardé par l'armée allemande. Généralement, les soldats arrêtaient tout le monde avant de donner l'autorisation de franchir le pont. Les hommes étaient fouillés. Les femmes avaient droit à plus de respect : elles devaient présenter leurs papiers pendant qu'on les inspectait du regard.

La viande et les autres victuailles que je transportais faisaient un renflement visible sous mes vêtements et gonflaient nos sacs. Nous étions mortes de peur, craignant d'avoir à remettre nos provisions aux Allemands. Il n'y avait aucune échappatoire possible. Prenant notre courage à deux mains, nous roulâmes en direction du pont.

L'air endormi, sans rien nous demander, ils nous firent signe de passer. Nous n'en croyions pas nos yeux !

La femme du pasteur nous accueillit avec sollicitude lorsqu'elle vit l'état dans lequel nous nous trouvions. Je n'aurais pu faire un pas de plus. Elle me mit au lit, me soigna. Le jour suivant, j'étais suffisamment remise pour reprendre la route. Nous partîmes à cinq heures de l'après-midi.

Une fois de plus, nous arrivâmes à Amsterdam après le couvre-feu. Il était tard lorsque nous atteignîmes le pont qui franchissait l'Amstel. Nous ne nous attendions pas à ce qu'il fût gardé par la police allemande et fûmes prises de panique à la vue des uniformes verts. Il ne s'agissait plus seulement de la nourriture que nous transportions. Nous craignions pour notre propre sécurité.

A nouveau, la chance nous sourit. Les policiers recherchaient des armes et, avec leur minutie à l'allemande, ne s'intéressaient à rien d'autre, pas même à la nourriture passée en fraude. Ne trouvant rien sur nous qui les concernât, ils nous laissèrent passer.

J'étais partie depuis plusieurs jours. Jan devait être terriblement inquiet à mon sujet. Mais nous avions pour règle de ne pas extérioriser nos frayeurs. Risques et dangers étaient notre lot quotidien. Il n'y avait aucun moyen de survivre autrement.

Vers le milieu de l'hiver, les Allemands avaient réduit nos rations à cinq cents calories par jour. Même si la BBC nous annonçait qu'Eisenhower et ses quatre-vingt-cinq divisions cernaient le Rhin, cela ne changeait rien pour nous. Chaque jour glacial était un obstacle à surmonter : ne pas mourir de froid, ne pas mourir de faim. Nous ne pensions à rien d'autre.

La mère de Jan décéda en décembre. Elle mourut à l'hôpital. Tout le monde n'avait pas cette chance. Les gens mouraient de faim à Amsterdam. Parfois, ils s'asseyaient simplement au bord de la route et mouraient. De la diphtérie, de la typhoïde, ou simplement de froid. Des soupes populaires s'étaient organisées. On voyait chaque jour de longues files de gens qui attendaient dans le froid que l'on remplît leur bol de quelque chose de chaud.

Les gens fouillaient les anciens dépôts, à la recherche du moindre morceau de charbon. Les traverses des voies ferrées étaient arrachées pour faire du bois de chauffage. Si vous aviez un escalier en bois dans votre cour ou à l'extérieur de votre maison, vous risquiez de ne plus le retrouver en vous réveillant, un matin. Dans les maisons abandonnées par leurs occupants, il ne restait plus un seul encadrement de fenêtre, plus une marche d'escalier, plus un meuble, plus rien.

Nous nous creusions la cervelle pour trouver de quoi manger. Jan établit un plan. Avant l'occupation, son père avait coutume d'aller pêcher dans les fossés à la campagne, près du petit village de Waverveen, à une dizaine de kilomètres d'Amsterdam. Comme tout pêcheur, mon beau-père avait son coin favori : il pêchait sur la propriété d'un fermier avec lequel il s'était lié d'amitié.

Jan avait l'intention de reprendre contact avec ce fermier en lui racontant un mensonge, que son père était très malade et qu'il avait besoin de lait pour se rétablir. Aucun de nous n'aimait mentir, et tromper ce brave homme nous répugnait, mais nous ne pouvions faire autrement. Jan se rendit donc à la ferme et joua la comédie, étouffant ses remords.

Il eut droit à un véritable repas de campagne, un repas comme il n'en avait pas mangé depuis longtemps. Puis, touché par le ton de sincérité que Jan avait pris, le fermier lui dit de revenir tous les jours et qu'il lui fournirait deux bouteilles de lait par jour, à un prix normal.

Tous les matins, à tour de rôle, nous nous levions à quatre heure trente et, quel que fût le temps, nous roulions une heure dans la campagne jusqu'à la ferme. La première fois que j'y allai, je me présentai au fermier pour qu'il me reconnaisse. Chaque jour, lorsque j'arrivais, une longue file de gens venus d'Amsterdam attendaient déjà leur ration de lait. Je me mettais au bout de la queue, mais le fermier me faisait régulièrement passer en premier. Si les autres grommelaient, il expliquait : « Son beau-père est malade. » Je me sentais honteuse. Il y avait sûrement des gens dans la queue qui avaient des parents véritablement malades chez eux.

Bourrelée de remords, je prenais mes deux bouteilles et regagnais Amsterdam dans l'obscurité. Craignant toujours de me faire arrêter, et qu'on me prenne ma bicyclette, je roulais le plus vite possible, tout en prenant garde de ne pas attirer les soupçons. Le vent glacial me frappait le visage. Les flocons de neige m'empêchaient d'y voir. Le col de mon manteau ne protégeait pas suffisamment mes oreilles. Mais le lait était en sécurité dans le sac accroché sur le guidon de ma bicyclette.

Des tas d'ordures jonchaient les rues. Heureusement, ils étaient gelés et ne sentaient pas. Poussés par la faim, les gens fouillaient les poubelles, au crépuscule, à la recherche de quelque nourriture.

Mars vint enfin. Puis avril. Mais l'hiver sévissait toujours. Certains jours étaient plus cléments, le soleil perçait parfois les nuages. La terre dégelait, une puanteur régnait partout, l'odeur écœurante des oignons de tulipe ou des betteraves à sucre en train de fermenter, du linge mal lavé qui séchait, des vêtements usés que l'on gardait trop longtemps sur soi.

On ne parlait plus que de nourriture. Le même sujet obsédait tous les esprits. Jan et moi allions parfois passer la soirée chez nos amis de la Rijnstraat. Puisque nous n'avions pas la radio, ils nous avaient promis de venir nous prévenir lorsque la guerre serait finie. Au lieu d'écouter les nouvelles, nous sortions nos livres de cuisine, copiant les recettes que nous nous promettions de réaliser après la guerre. Parfois, l'un de nous lisait des scènes de ripailles de Rabelais.

Je faisais des rêves de chocolat. Du bon chocolat chaud, mousseux, crémeux. J'en avais littéralement l'eau à la bouche.

Le président Roosevelt mourut le 12 avril, et Vienne, ma ville natale, tomba aux mains des Russes le 13 avril. Montgomery avait franchi le Rhin et s'avançait vers Brême et Hambourg. Tout autour de nous, l'Europe était en ruines, les Allemands reculaient sur tous les fronts. La liberté était à nos portes, immense demi-cercle qui se développait autour de la Hollande.

Et nous attendions. Des centaines de braves Hollandais mouraient de faim, les gens tombaient malades, perdaient la tête, incapables de penser à autre chose qu'à leur prochain repas. Chaque jour au 263 Prinsengracht ressemblait au précédent, avec le même long trajet à pied pour regagner notre quartier des Rivières, ponctué d'accès de faiblesse ou de nausée, en compagnie de Jo Koophuis. Jan et notre chat Berry m'attendaient à la maison, ou vice versa. Comment faire un repas pour deux adultes et un chat avec deux pommes de terre ?

Mussolini fut arrêté avec sa maîtresse près de Côme, non loin de la frontière suisse, et exécuté. Leurs cadavres furent pendus par les pieds à une station d'essence à Milan. Le 1er mai, un roulement de tambour interrompit la septième symphonie de Bruckner à la radio allemande. Une voix émue annonça que Hitler était mort dans la tradition du devoir et qu'un certain Dönitz allait lui succéder. La prière que j'avais tant de fois formulée en tendant mon poing vers le ciel s'était réalisée.

Ce n'était pourtant pas suffisant.

Le réchauffement de la température et l'allongement des jours résolurent deux de nos principaux problèmes : le manque de chauffage et de lumière, mais les difficultés pour se nourrir devenaient insurmontables. Je n'avais plus les idées claires : la quête quotidienne pour trouver de quoi manger prenait toute mon énergie, toute ma concentration. Je n'arrivais plus à faire marcher correctement la Travies. Chaque jour, je me battais pour ne pas sombrer, comme le faisaient tant de gens autour de moi.

Les beaux jours revinrent en mai et avec eux le bleu du ciel et des taches de vert qui surgissaient çà et là, en dépit de l'état de dévastation dans lequel se trouvait Amsterdam.

Un vendredi, le 4 mai, après une journée de bureau comme les autres, je rentrai à la maison. Assis dans la cuisine près de son bol, Berry attendait sa goutte de lait. Je mis à cuire quelques carottes, deux ou trois petites pommes de terre. Des brindilles de bois alimentaient mon feu, et l'eau mettait une éternité à bouillir. J'avais l'esprit ailleurs. Soudain, Jan entra comme un ouragan dans la pièce. Il prit mes mains dans les siennes. « Miep, dit-il. J'ai de bonnes nouvelles. Les Allemands ont capitulé. La guerre est finie ! »

Mon émotion fut si forte que je sentis mes genoux faiblir. Était-ce vrai ? Je regardai les yeux clairs de Jan. C'était vrai.

Nous prîmes notre repas avec une telle joie au cœur que la faim qui nous tenaillait l'estomac importait peu. Il nous semblait que nous n'avions jamais rien mangé d'aussi bon. Qu'allait-il arriver, maintenant ? Les Allemands se trouvaient encore parmi nous ; ils avaient perdu la guerre et devaient être furieux. Il ne fallait pas nous relâcher. Jan me prévint : une imprudence pouvait nous coûter la vie. Quel malheur ce serait, maintenant que la guerre était gagnée. Et nos amis dans les camps de concentration, où qu'ils soient, seraient-ils également libérés ?

Huit heures sonnèrent. L'heure du couvre-feu. Soudain, on frappa un grand coup à la fenêtre. C'était notre ami de la Rijnstraat, celui qui avait promis de venir nous prévenir, quand ce serait fini. Il tapait du poing sur le volet, agitait les bras. « C'est fini. criait-il. C'est fini. Sortez. Tout le monde est dans la rue, couvre-feu ou pas. Nous sommes libres ! »

Les rues étaient pleines de gens. Les habitants du quartier jetaient sur la chaussée du papier, du bois, des vieux vêtements, n'importe quoi qui pût brûler. Nous allâmes jusqu'à la Rijnstraat. Les jeunes dansaient autour de grands feux de joie. Les vieux parcouraient la rue de long en large, riant, s'embrassant. La joie explosait partout. Il n'y avait pas un Allemand en vue.

Nous regagnâmes la maison. Je savais que nous ne pourrions pas dormir, cette nuit. Le ciel s'assombrissait. Le crépuscule me parut magnifique. Un vol de pigeons passa au-dessus des toits. Il y avait si longtemps que je n'avais plus vu d'oiseaux à Amsterdam ! Depuis quand les moineaux étaient-ils partis ? Depuis combien de temps ne voyait-on plus de cygnes, de canards, sur les canaux ? Bien sûr, il est si facile aux oiseaux de s'envoler ; et, pour eux non plus, il n'y avait plus rien à manger.

Sous l'occupation allemande, il était interdit d'avoir des pigeons chez soi. Il avait fallu les cacher. A l'annonce de la fin de la guerre, les gens les relâchaient. On aurait dit des confettis dans le ciel.

Les pigeons étaient revenus sur les toits d'Amsterdam. Comme nous, ils avaient retrouvé la liberté.

17.

On nous parachuta des vivres à l'aéroport de Schiphol. Margarine, beurre, gâteaux secs, saucisses, bacon, chocolat, fromage, œufs en poudre, tombèrent du ciel. Pour la première fois, le vrombissement des avions qui volaient en rase-motte au-dessus de nos têtes ne nous frappait pas d'effroi. Les gens montaient sur les toits, agitaient des drapeaux, des draps de lit, n'importe quoi.

Lorsque je me rendis à mon bureau, le samedi matin, tout le monde était dehors. En dépit de l'atmosphère de fête, le danger n'était pas écarté. Les Allemands étaient ivres de rage. J'entendis dire que sur le Dam, en face du vieil hôtel Krasnapolsky, les soldats allemands s'étaient mis à tirer dans la foule et qu'il y avait eu des morts. Mais rien ne pouvait contenir l'allégresse générale, empêcher les gens d'allumer des feux de joie et de danser.

Après mon travail, je revins à la maison et voulus entraîner Jan dans la rue, afin de nous mêler à la liesse générale.

« Non, fit-il en secouant la tête. Je préfère rester ici. Je n'ai pas le cœur à participer à ces manifestations de joie. Trop de malheurs ont frappé mon pays durant ces cinq années. Trop de Hollandais ont disparu. Qui sait combien reviendront un jour ? Nous sommes libérés et j'en suis heureux, mais je préfère rester tranquille à la maison. »

Je retirai les rideaux du black-out. Pour la première fois depuis cinq ans, nous pouvions contempler la lune dans la nuit.

Nous apprîmes que l'armée allemande se concentrait à différents endroits en Hollande, et s'en allait. Et soudain, il n'y eut plus de soldats allemands. Les Alliés parachutèrent davantage de vivres. Nous avions le sentiment qu'un miracle était arrivé. Nous attendîmes impatiemment les informations sur la distribution de ces vivres.

Le 7 mai fut déclaré jour férié. La rumeur courut que les Canadiens entraient dans Amsterdam. Je jetai mon tablier sur une chaise et me précipitai dehors pour attendre dans la Rijnstraat l'arrivée des libérateurs qui, disait-on, était imminente. Nous attendîmes longtemps.

Après trois heures d'attente, apparurent enfin quatre petits tanks sur le pont Berlage. Ils s'arrêtèrent un court instant, puis poursuivirent leur course à travers la ville. Les soldats étaient vêtus de blousons bruns, de pantalons resserrés aux chevilles et ils portaient des bérets.

Le gros des troupes canadiennes entra dans la ville le 8 mai et défila pendant toute la journée. Retenus à notre travail, Jan et moi ne pûmes assister au défilé. On nous raconta par la suite que les soldats étaient horriblement sales, ce qui n'avait pas empêché les jeunes filles de se jeter à leur cou pour les embrasser. Les Canadiens passaient en saluant la foule, distribuant les premières vraies cigarettes que nous ayons vues depuis des années.

Ils traversèrent le sud d'Amsterdam, en direction du Dam et du Palais-Royal. La reine Wilhelmine avait regagné sa bien-aimée Hollande, aujourd'hui dévastée, affamée. Notre reine avait soixante-quatre ans maintenant. Comme son pays, la petite dame que Churchill avait appelée « l'homme le plus vaillant d'Angleterre » avait tenu bon.

Les réjouissances se prolongèrent pendant des jours entiers. Les hymnes nationaux canadiens et hollandais emplissaient l'air. On jouait de la musique, on dansait dans les rues au son d'un vieil orgue de Barbarie, d'un accordéon, des instruments les plus divers. Tout de suite, les habitants d'Amsterdam semèrent des graines d'œillet d'Inde, afin que refleurisse la couleur prohibée par les Allemands, l'orange de la maison royale.

Les clandestins réapparurent. Les Juifs sortirent de leur cachette, se frottant les yeux dans la lumière du soleil, une expression d'incrédulité sur leur visage blafard aux joues creusées.

Les carillons des églises sonnaient. Les oriflammes flottaient au vent.

Les libérateurs nous apportaient de nouveaux billets de banque hollandais imprimés en Angleterre. Les prix avait démesurément grimpé, et les boutiques étaient vides.

Nous avions perdu l'habitude de nous réveiller sans craindre pour notre sécurité, de passer la journée sans appréhension. Nous commençâmes tous à attendre le retour de ceux qui étaient partis.

On racontait des récits bouleversants, inimaginables, sur la libération des camps de concentration allemands. Des photos parurent dans les premiers journaux libres, accompagnées de descriptions, de témoignages. Pendant l'Occupation, nous avions entendu parler des conditions effroyables qui régnaient dans ces camps, de chambres à gaz, de meurtres, de brutalités, mais qui aurait pu imaginer de telles atrocités ! La réalité dépassait, de très loin, les visions les plus pessimistes. Je ne parvenais pas à lire ces récits, je me détournais des photos. Je refusais de m'arrêter à tant d'inhumanité. A tout prix, je voulais croire que nos amis reviendraient. Il m'aurait été insupportable de penser le contraire.

Rapidement, les réparations de première urgence commencèrent. Les fenêtres brisées furent bouchées par des planches. On reconstruisit les ponts, on répara les voies ferrées. Amsterdam était en ruines et nous n'avions rien.

Jan fut désigné pour l'accueil des rapatriés à la gare centrale. Il leur distribuait des bons qui leur permettaient de subvenir à leurs besoins les plus urgents : argent, cartes de ravitaillement, logement. Il y allait tous les jours. Les prisonniers libérés furent transportés en camions militaires, puis en train lorsque les voies ferrées furent remises en état.

Les Juifs et tous ceux qui avaient passé des années d'esclavage au service des nazis, avec l'espoir du retour dans une Hollande libérée, nous revenaient aujourd'hui, le visage marqué, raviné, sans âge.

Les Juifs des camps de concentration portaient des numéros d'immatriculation tatoués en bleu sur leur bras. Les enfants ne savaient plus leur âge ni leur nom, ils ne reconnaissaient plus leur famille dont ils étaient si longtemps restés séparés.

Certains de ceux qui rentrèrent dans notre quartier des Rivières retrouvèrent leur maison habitée par d'autres. D'autres purent réintégrer leurs appartements désertés par les membres du NSB. Peu à peu, un petit nombre de Juifs réapparut autour de nous. Chaque jour, nous recevions par la poste la liste des survivants des camps.

Alors que rien ne distinguait un Juif d'un non-Juif, avant la guerre, ceux qui revenaient aujourd'hui, marqués par les atrocités endurées, étaient différents. Mais les gens avaient subi trop de souffrances eux-mêmes pour s'intéresser à celles des autres.

Chaque jour, Jan prenait place devant son bureau à la gare centrale et accueillait les rapatriés. A chacun, il demandait : « Avez-vous entendu parler de Otto Frank ? Avez-vous vu Otto Frank et sa femme, Edith Frank ? Savez-vous quelque chose de leurs filles, Margot Frank et Anne Frank ? »

Et chaque fois, les gens secouaient la tête. Non. Personne ne savait rien de nos amis.

Quelques jours après la Libération, l'électricité fut rétablie. J'étais au bureau. Un déclic, et les lampes s'allumèrent, les appareils fonctionnèrent.

Peu après, nous apprîmes que Victor Kraler était en vie. Il s'était échappé des mains des Allemands et s'était caché chez lui durant l'hiver de famine. Sa femme s'était occupée de subvenir à ses besoins. A son retour au bureau, il nous raconta son évasion :

« La plupart des prisonniers dans le camp d'Amersfoort où on nous envoya d'abord étaient des détenus politiques, des trafiquants du marché noir, des chrétiens qui avaient caché des Juifs. Puis je fus transféré d'Amersfoort à différents camps de travail. Le dernier était tout près de la frontière allemande. Un matin d'hiver, on fit l'appel des prisonniers et tout un groupe de Hollandais fut conduit hors du camp.

« Je décidai de rester à l'arrière, marchant au même pas qu'un groupe de vieux soldats allemands. Ces hommes étaient exténués, fatigués de la guerre. Je les questionnai en allemand, leur demandai notre destination. Ils me répondirent que nous nous dirigions vers l'Allemagne. Que tout le camp se repliait en Allemagne.

« Je me suis dit qu'avant de m'en rendre compte, j'allais me retrouver dans l'Allemagne d'Hitler. Je savais que je n'en sortirais jamais. J'ai continué de me laisser dépasser.

« Soudain, des Spitfire américains apparurent dans le ciel, piquèrent sur nous. Nos gardes se mirent à hurler : ''Couchez-vous ! Tout le monde à plat ventre !'' Nous nous trouvions près d'un champ de maïs. Je plongeai à l'abri des épis pendant que la chasse mitraillait tout le coin.

« Lorsque les avions s'éloignèrent et que j'entendis

les gardes ordonner à la colonne de se remettre en marche, je restai tapi dans le maïs, retenant mon souffle. Et croyez-le ou non, ils s'éloignèrent, me laissant seul.

« Je gagnai en rampant l'autre bout du champ, attendant de me sentir en sécurité pour me montrer. Il y avait un petit village non loin de là et je m'y dirigeai. Je n'étais pas rassuré, car je portais mon uniforme de prisonnier.

« A l'entrée du village, j'aperçus un marchand de bicyclettes. Je tentai ma chance. Dans le magasin, il y avait un Hollandais. Je lui racontai mon évasion, le priant de me prêter une bicyclette pour rentrer chez moi. Après m'avoir examiné pendant quelques instants, l'homme se rendit dans l'arrière-boutique et en revint avec un vieux mais solide vélo noir. "Rentrez chez vous, me dit-il en le poussant vers moi. Vous me le rendrez après la guerre."

« J'ai pédalé jusqu'à la maison et ma femme m'a caché pendant tout l'hiver de la faim jusqu'à la Libération. »

Peu à peu, nous vîmes se garnir les devantures des magasins : un manteau d'hiver, une jolie robe. Mais il n'y avait rien à vendre à l'intérieur. Un écriteau dans la vitrine indiquait : MODÈLE D'EXPOSITION SEULEMENT. D'autres magasins offraient des imitations en carton de bouteilles de lait, de morceaux de fromage, de paquets de beurre.

Les Alliés organisèrent des séjours en Angleterre pour les enfants hollandais. Au sortir de l'hiver de famine que nous venions de traverser, certains étaient dans un état d'épuisement extrême et il fallait tout mettre en œuvre pour leur refaire une santé.

De même que l'on m'avait envoyée en Hollande en 1920, petite Viennoise affamée avec ma pancarte autour du cou, ces enfants hollandais s'embarquèrent en 1945 à destination de l'Angleterre.

Jour après jour, Jan se rendait à la gare centrale. La plupart de ceux qui revenaient avaient perdu la totalité de leurs biens, avaient perdu toute leur famille ou en avaient été séparés. Nombre d'entre eux se retrouvaient seuls au monde. Jour après jour, Jan demandait : « Connaissez-vous Otto Frank ? Avez-vous vu la famille Frank — Otto, Edith, Margot et Anne ? » Et jour après jour, c'était la même réponse : Non. Personne ne les avait vus, personne n'en avait entendu parler.

Jan ne se décourageait pas, interrogeait l'un après l'autre les malheureux au visage ravagé qui se présentaient devant lui. « Connaissez-vous les Frank ? » Un matin, enfin, une voix répondit à sa question : « Oui Monsieur, j'ai vu Otto Frank. Il revient. »

C'était le 3 juin 1945. Jan vola littéralement jusqu'à la maison. Il entra en courant dans le salon, me saisit dans ses bras. « Miep, Otto Frank est de retour ! »

Mon cœur ne fit qu'un bond. Au fond de moi-même, j'avais toujours été certaine qu'il reviendrait, que les autres reviendraient aussi.

Au même instant, mon regard fut attiré par une silhouette dans la rue. Ma gorge se serra. Je me précipitai dehors.

C'était M. Frank en personne. Il se dirigeait vers la porte de notre immeuble.

Nous nous regardâmes. Il n'y avait pas de mots. Il était maigre, mais il l'avait toujours été. Il portait un petit baluchon. Mes yeux s'emplirent de larmes. Mon cœur chavira. Je craignis soudain d'en savoir plus. Je ne voulais pas savoir ce qui s'était passé. Je ne voulais pas poser de question.

Nous restions face à face, muets. Enfin, M. Frank parla.

« Miep, dit-il doucement, Miep, Edith ne reviendra pas. »

Ma gorge se serra atrocement. J'étais foudroyée. J'essayai de dissimuler mon émotion. « Entrez », lui dis-je simplement.

Il continua : « Mais j'ai bon espoir pour Margot et Anne.

— Bien sûr. » Je ne pus rien ajouter d'autre.

Il restait sur le seuil. « Miep, je suis venu ici, parce que Jan et vous êtes les seuls proches qui me restent. »

Je lui pris son baluchon des mains. « Entrez, vous logerez chez nous. Venez manger. Vous avez une chambre, vous pouvez y rester aussi longtemps que vous voudrez. »

Il pénétra dans l'appartement. Je fis son lit, préparai un bon repas pour lui avec tout ce que je possédais. Il nous raconta qu'il avait été déporté à Auschwitz. C'était là qu'il avait vu Edith, Margot et Anne pour la dernière fois. Les hommes et les femmes avaient été immédiatement séparés. Après avoir libéré le camp en janvier, les Russes avaient emmené les survivants à Odessa. Il était revenu d'Odessa à Marseille par bateau, et il avait enfin regagné la Hollande en train et en camion.

Il nous donna ces quelques détails de sa voix douce. Il parla peu. Entre nous, il n'était pas besoin de mots.

M. Frank vécut avec nous. Il reprit très vite ses activités à la Travies. Il lui fallait occuper ses pensées. Il commença à explorer les sources d'information concernant les Juifs déportés dans les camps, agences de réfugiés, listes publiées quotidiennement, et surtout les témoignages, plus précieux encore que le reste. Il essayait par tous les moyens d'obtenir des nouvelles de Margot et d'Anne.

Quand Auschwitz avait été libéré, Otto Frank s'était immédiatement rendu dans le camp des femmes, à la recherche de son épouse et de ses filles. Au milieu du chaos et de la désolation, il avait appris qu'Edith était morte peu avant la Libération.

Il avait également appris que, selon toute probabilité, Margot et Anne avaient été transférées dans un autre camp, ainsi que Mme Van Daan. Il s'agissait du camp de Bergen-Belsen, loin d'Auschwitz. La piste s'était arrêtée là. A présent, il reprenait les recherches.

En ce qui concernait les autres hommes, M. Frank avait perdu la trace d'Albert Dussel. Il ignorait ce qu'il était advenu de lui après leur séjour dans le camp de transit de Westerbork. M. Van Daan avait été emmené vers la chambre à gaz sous ses yeux. Peter van Daan, lui, était venu rendre visite à Otto Frank à l'infirmerie d'Auschwitz. Quelques heures avant la libération du camp, les Allemands avaient décidé d'emmener quelques groupes de prisonniers avec eux dans leur fuite. Peter en faisait partie.

Otto Frank avait supplié Peter d'essayer de se faire porter malade, mais le jeune homme ne l'avait pas voulu ou n'y était pas parvenu. On l'avait vu s'éloigner avec les Allemands qui battaient en retraite dans la campagne couverte de neige. Personne n'avait plus jamais eu de ses nouvelles.

M. Frank avait grand espoir de retrouver ses filles car Bergen-Belsen n'était pas un camp de la mort. C'était un camp de travail, où sévissaient la faim et la maladie, mais sans chambre à gaz, sans installations destinées à l'extermination. Margot et Anne avaient été déportées plus tard que la majorité des autres détenus. Elles étaient relativement en bonne santé. Moi aussi, je vivais dans l'espoir de revoir Margot et Anne. Au plus profond de moi restait ancrée l'espérance qu'elles avaient survécu, qu'elles allaient revenir, saines et sauves, à Amsterdam.

Le bouche à oreille permettait fréquemment aux gens de retrouver leur famille et M. Frank avait écrit à plusieurs personnes qui étaient revenues de Bergen-Belsen. Il attendait tous les jours les réponses à ses lettres, épluchait les listes des survivants publiées quotidiennement. A chaque coup frappé à notre porte, à chaque bruit de pas, nos cœurs s'arrêtaient de battre. C'était peut-être Anne et Margot qui revenaient à la maison, nous les verrions enfin, de nos propres yeux... Anne allait avoir seize ans le 12 juin. Peut-être, espérions-nous... Mais l'anniversaire passa, et nous n'avions toujours aucune nouvelle.

Mme Samson revint habiter son appartement de la Hunzestraat. Elle reprit sa chambre. Sa petite-fille était morte de la diphtérie chez les gens qui la cachaient à

Utrecht, mais son petit-fils était en vie. Depuis le jour où ils avaient disparu à la gare centrale, elle n'avait jamais eu de nouvelles de sa fille et de son gendre. Ni de son mari, qui était censé se trouver en Angleterre. Elle aussi vivait dans l'attente.

Notre marchand de légumes revint de déportation avec les pieds gelés. Je le revis dans sa boutique. Il me semblait retrouver un ami après une longue absence.

Les magasins étaient toujours pratiquement vides. Nous étions toujours rationnés, mais la reconstruction de notre pays était en route. Notre entreprise d'épices vendait essentiellement des ersatz, mais les affaires reprenaient doucement à la Travies.

Un matin, nous étions seuls, M. Frank et moi, à dépouiller le courrier avant l'arrivée du personnel. J'étais assise à mon bureau et il se tenait debout à côté de moi. Je l'entendis vaguement ouvrir une lettre. Il y eut un silence. Quelque chose me fit interrompre ma tâche. Puis il y eut la voix blanche, complètement brisée de M. Frank : « Miep. »

Je levai les yeux vers lui, cherchant son regard.

« Miep. Il serrait une feuille de papier entre ses mains. Miep, j'ai reçu une lettre d'une infirmière à Rotterdam. Margot et Anne ne reviendront pas. »

Nous restâmes ainsi, foudroyés, glacés jusqu'au fond du cœur, nous dévisageant l'un l'autre. Puis M. Frank se dirigea lentement vers son bureau. Il me dit, d'une voix cassée : « Je serai dans mon bureau. »

Les jours les plus noirs

Je l'entendis traverser la pièce, s'éloigner dans le couloir, refermer la porte.

Je restai assise, totalement anéantie. Je pouvais tout accepter, tout ce qui était arrivé jusqu'à présent. Bon gré mal gré, je l'avais accepté. Mais pas cela. C'était la seule chose que j'avais toujours crue impossible.

J'entendis les portes s'ouvrir, les employés arriver, se saluer, bavarder, prendre leur café. J'ouvris le dernier tiroir de mon bureau et en sortis les papiers qui avaient attendu le retour d'Anne depuis maintenant près d'une année. Ni moi ni personne n'y avait touché. Aujourd'hui, Anne ne reviendrait pas chercher son journal.

Je rassemblai tous les papiers, plaçai le petit cahier orange à carreaux sur le dessus, et portai le tout dans le bureau de M. Frank.

Il était assis à sa table. Son regard reflétait le choc qu'il venait de subir. Je lui tendis le cahier et les feuilles couvertes de l'écriture d'Anne. « Voici ce que votre fille Anne vous a laissé. »

Il reconnut le journal d'Anne, le petit cahier dont il lui avait fait cadeau trois ans auparavant, pour son treizième anniversaire, quelques jours avant d'entrer dans la clandestinité. Il l'effleura du bout des doigts. Je déposai tous les papiers entre ses mains et quittai la pièce en refermant doucement la porte.

Peu après, le téléphone intérieur sonna sur mon bureau. C'était la voix de M. Frank. « Miep, voulez-vous veiller à ce que l'on ne me dérange pas, je vous prie. »

C'était déjà fait.

18.

Lorsqu'il se sentit réellement installé chez nous, M. Frank me demanda de l'appeler par son prénom. « Nous faisons partie de la même famille, maintenant », dit-il.

Si j'acceptais de l'appeler « Otto » à la maison, je préférais l'appeler « M. Frank » au bureau, afin de ne pas choquer les autres employés.

Peu après, parce que certains différends étaient apparus entre Mme Samson et nous, la vie devint moins agréable dans l'appartement de la Hunzestraat. Il valait mieux déménager. Ro, la sœur de Jan, habitait dans la même rue. Elle offrit de nous héberger, ainsi que M. Frank.

M. Frank s'installa dans une pièce au fond de l'appartement avec un cabinet de toilette attenant. Jan et moi prîmes la chambre de Ro, et Ro dormit dans la salle de séjour. Nous nous estimâmes heureux d'avoir trouvé cet arrangement, car les logements à Amsterdam étaient devenus extrêmement rares. Bien entendu, le chat Berry nous suivit.

On ne trouvait toujours que le strict minimum dans les boutiques. Après tant d'années de dénuement, nous nous y étions habitués. Jan avait cessé de fumer pendant la dernière année de la guerre. Aujourd'hui, il nous arrivait de trouver des cigarettes blondes canadiennes au marché noir.

J'aménageai notre nouveau foyer aussi confortablement que possible et cuisinai pour toute la maisonnée avec ce que je trouvais. Les repas étaient simples, car nous ne disposions que d'aliments de base, peu variés. Mais j'avais pris le tour de main pour tirer le maximum de la nourriture la plus frugale et m'arrangeais pour que chacun fût convenablement nourri.

Nous étions dans un état de faiblesse et d'anémie désespérant. Je me sentais sans force. Heureusement je n'avais plus besoin de faire preuve de courage et d'énergie. Nous parlions peu. Nos souvenirs communs nous liaient.

Peu à peu les voies ferrées, les digues et les ponts furent reconstruits. Avant de s'installer dans la cachette, Otto Frank avait confié quelques-uns des meubles d'Edith à certains de ses amis. Ces biens avaient été préservés durant la guerre, et il me prévint qu'il allait les faire transporter chez nous.

Le jour venu, je revis la grande horloge d'Ackerman qui était arrivée de Francfort en 1933, l'horloge au doux battement qu'il suffisait de remonter toutes les deux ou trois semaines. Je revis le délicat secrétaire ancien, en plaqué acajou. « Edith aurait été heureuse de savoir ses meubles chez vous », me dit Otto Frank.

Il me montra ensuite le dessin au fusain de la chatte en train d'allaiter ses petits, qui m'avait tant touchée, des années auparavant. Il faisait revivre en moi nos réunions du samedi après-midi place de la Merwede. Les jours où nous avions des discussions politiques passionnées autour d'un bon café et de gâteaux succulents. Le souvenir de la douce et timide Anne, si petite à cette époque, qui venait saluer poliment les adultes en compagnie de sa sœur Margot, et repartait avec un morceau de gâteau. Anne qui tenait dans ses bras son chat Moortje, si lourd pour la petite fille que sa queue traînait presque à terre.

Je repoussais ces pensées. Je ne voulais plus me souvenir de ce qui avait été.

Deux vélos flambant neufs arrivèrent d'Angleterre pour M. Frank. « Miep, me dit-il en poussant l'un d'eux vers moi, il y en a un pour vous et un pour moi. » Je n'avais jamais vu une bicyclette neuve de ma vie. Nous allions faire des jaloux dans le quartier.

Un autre colis arriva pour M. Frank. Il portait une rangée de magnifiques timbres américains et provenait d'un ami de M. Frank qui s'était réfugié aux États-Unis avant la guerre. Otto défit l'emballage avec précaution. Nous examinâmes le contenu étalé sur la table.

Il y avait des boîtes de conserve, des cigarettes américaines, et plusieurs petits paquets que M. Frank me suggéra d'ouvrir. Du premier se dégageait une odeur qui me monta aux narines. C'était un arôme irrésistible. Je palpai la texture fine de la poudre brune. Du cacao.

Je fondis en larmes.

« Préparez-nous vite un bon chocolat », dit Otto.

Je pleurais comme une madeleine. Je n'arrivais pas à croire que je voyais à nouveau du vrai cacao.

La Croix-Rouge envoya les dernières listes des survivants. Des Juifs déportés par les Allemands, très peu étaient revenus aux Pays-Bas, même pas un sur vingt. De ceux qui s'étaient cachés, au moins un sur trois avait survécu. Les survivants avaient tout perdu.

Le locataire de M. Frank, l'homme que nous avions discrètement interrogé après l'entrée des Frank dans la clandestinité, avait été déporté. Mais il avait survécu et était revenu. Nous ne revîmes pas le vieil homme qui nous avait confié ses beaux volumes de Shakespeare. Les livres restèrent sur nos étagères, au cas où il réapparaîtrait un jour. La femme qui habitait au-dessus de notre appartement, celle qui nous avait demandé de prendre soin de son chat, Berry, ne revint pas. Berry continua à vivre avec nous.

Nous apprîmes par recoupement qu'Albert Dussel était mort dans le camp de Neuengamme. Que Petronella van Daan était morte, elle aussi, à Buchenwald ou à Theresienstadt, le jour même de la libération du camp. Peter van Daan avait survécu à l'évacuation d'Auschwitz. Il s'était retrouvé à Mauthausen, et y était mort le jour où le camp avait été libéré par les Américains.

Grâce aux informations rassemblées auprès des survivants, nous apprîmes que Margot et Anne avaient été séparées de leur mère à Auschwitz, qu'Edith y avait passé seule les dernières semaines de sa vie. Transférées à Bergen-Belsen, Margot et Anne avaient relativement bien supporté les conditions de vie du camp, jusqu'au début de l'année 1945. Elles avaient alors toutes les deux attrapé le typhus. En février ou mars, Margot avait succombé à la maladie. Restée seule, Anne était morte peu de semaines avant la libération du camp.

Bien que les dernières listes de survivants eussent été expédiées, on ignorait encore le sort de certains déportés. Les mouvements de population avaient été considérables, les frontières avaient changé. Pour quelques-uns, il restait un espoir.

Nous n'eûmes plus de nouvelles de Karel van der Hart après la guerre, mais nous apprîmes qu'il était parti en Amérique.

Certains soirs, Otto Frank traduisait en allemand des passages du journal d'Anne et les envoyait à sa mère, qui vivait à Bâle. Parfois, il sortait de sa chambre en tenant le petit cahier d'Anne. « Miep, me disait-il en secouant la tête, vous devriez lire les descriptions que faisait Anne ! Qui aurait pensé qu'elle avait une telle imagination, une telle vivacité d'esprit ! »

Je refusais. je ne pouvais pas écouter. C'était trop bouleversant.

Parce que Frits van Matto n'était sympathique à personne au bureau, Jo Koophuis et Otto Frank lui demandèrent aimablement de quitter la Travies. Sans le congédier, ils le convainquirent qu'il aurait un meilleur avenir ailleurs. On engagea de nouveaux magasiniers.

L'année 1946 arriva, et la Hollande se trouvait toujours dans un état de pauvreté et de dénuement pitoyable.

Le 15 mars 1946, Elli Vossen se maria et quitta le Prinsengracht. On engagea un jeune homme à sa place. Issue d'une famille de huit enfants, un frère et six sœurs, Elli avait toujours rêvé de fonder à son tour une famille nombreuse. Elle se retrouva très vite enceinte, folle de bonheur de voir ses espoirs se réaliser aussi rapidement.

J'avais maintenant plus de trente-cinq ans. Je serais bientôt trop âgée pour avoir des enfants, mais les événements avaient considérablement émoussé mon désir de maternité. Je n'aurais pas supporté de voir mon enfant souffrir de ces terribles années de misère. La guerre finie, Jan et moi n'abordâmes plus le sujet.

J'avais également du mal à croire encore en l'existence de Dieu. Lorsque je vivais à Vienne, mes parents étaient des catholiques pratiquants. Ils m'avaient emmenée deux ou trois fois à l'église. J'étais une petite fille de trois ou quatre ans, à l'époque, et ne comprenais pas grand-chose aux rites de la liturgie. J'étais effrayée par la dimension de l'église, l'obscurité et le froid qui régnait à l'intérieur. Je suppliai mes parents de me permettre de ne plus les accompagner. Ils n'insistèrent pas.

A Leyde, ma famille adoptive ne m'emmena jamais à l'église. Je grandis sans pratiquer de religion. Mais je n'avais jamais douté de l'existence de Dieu. La guerre anéantit ma croyance en Dieu, ne laissant à sa place qu'un grand vide.

Jan avait toujours été athée.

Néanmoins avide d'en savoir davantage sur les questions religieuses, je me mis à lire l'Ancien et le Nouveau Testament. Avec un intérêt accru, je me plongeai dans l'étude des différentes religions, parcourus des ouvrages sur le judaïsme, le catholicisme, le protestantisme, tout ce qui me tombait sous la main.

Je ne parlais de mes lectures à personne. Je lisais avec passion. Ces années noires avaient détruit les forces morales qui me soutenaient et je cherchais à les remplacer.

En dépit de la lente reconstruction de leur pays, les Hollandais nourrissaient une haine inassouvie à l'égard de l'oppresseur allemand. Pendant cinq années entières, nous avions été coupés du monde. Nous avions été humiliés jusqu'au plus profond de nous-mêmes, forcés de nous agenouiller. Des innocents avaient été exterminés, anéantis. Nous n'étions pas près de pardonner.

En 1946, la reine Wilhelmine organisa les premières élections. Anton Mussert, le chef du parti NSB, fut fusillé à La Haye. Arthur Seyss-Inquart, le commissaire du Reich pour les Pays-Bas, fut pendu après avoir été jugé à Nuremberg. Les gens plaidaient le pour et le contre, argumentaient sur ce qui était « juste » ou non en temps de guerre. De nombreux traîtres furent punis. Mais vengeance et justice n'apportaient que peu de consolation.

En décembre 1946, nous décidâmes à nouveau de déménager. Nous n'étions restés que trop longtemps chez la sœur de Jan. Nous avions un ami, M. Van Caspel, dont la femme venait de mourir. Sa petite fille de neuf ans était en pension et il vivait seul dans un grand appartement qu'il nous invita à partager.

Jan et moi en discutâmes avec Otto Frank. Nous savions qu'il possédait de nombreux amis et relations et qu'il aurait sans doute la possibilité d'être logé dans de meilleures conditions que celles que nous lui offrions, mais il insista pour rester avec nous. « Vous êtes les seuls avec lesquels je peux parler de ma famille », expliqua-t-il.

En fait, il nous en parlait rarement, mais je compris ce qu'il ressentait. Il pouvait parler de sa famille, s'il en avait envie. S'il n'en éprouvait pas le désir, nous partagions en silence les mêmes souvenirs et les mêmes peines.

Nous allâmes nous installer tous les trois au 65 de la Jekerstraat au début de l'année 1947. Jan se mit à souffrir de violents maux de tête. Mais il n'était pas homme à se plaindre et continua de son mieux son travail quotidien.

Le samedi soir, nous nous retrouvions entre amis pour jouer à la canasta. M. Frank ne se joignait jamais à nous. Il avait commencé à organiser de petites réunions, le dimanche à l'heure du café, avec des amis. C'étaient tous des Juifs qui avaient survécu à l'horreur des camps. Ils échangeaient des informations sur les camps où ils avaient été déportés — Auschwitz, Sobibor —

s'interrogeant mutuellement : « Qui reste-t-il dans votre famille ? Votre femme est-elle revenue ? Avez-vous des nouvelles de vos enfants, de vos parents ? » Mais ils ne parlaient jamais de ce qu'ils avaient subi personnellement. Il leur était trop pénible de raconter ces atrocités. Et entre eux, ce n'était pas nécessaire.

Au cours de l'une de ces réunions dominicales, M. Frank mentionna l'existence du journal écrit par sa fille Anne. L'un des participants lui demanda l'autorisation de le lire. Réticent, Otto lui confia les quelques pages qu'il avait traduites pour sa mère, les passages qu'il avait en vain tenté de me faire lire depuis plus d'un an.

Impressionné par la lecture de ces extraits, cet homme insista pour qu'Otto lui permît de lire le journal d'Anne en entier. Puis il voulut le montrer à l'un de ses amis, un historien célèbre. La première réaction de M. Frank fut de refuser. Mais il finit par se laisser convaincre.

Après avoir lu le journal d'Anne, l'historien écrivit un article pour *Het Parool*, quotidien à fort tirage qui avait commencé à paraître clandestinement pendant la guerre, et mit tout en œuvre pour obtenir l'accord de M. Frank pour la publication du journal d'Anne. M. Frank resta longtemps profondément opposé à cette idée. L'historien et son ami vinrent néanmoins à bout de sa résistance, lui expliquant qu'il était de son devoir de faire partager l'histoire d'Anne à ses concitoyens, que son journal était un document historique, le témoignage unique d'une enfant réfugiée dans une cachette pendant la guerre.

Tant d'arguments vinrent à bout des réserves d'Otto Frank. Convaincu qu'il était de son devoir de renoncer à préserver sa vie privée, il accepta la publication d' une édition réduite du journal par les éditions Contact à Amsterdam. Elle parut sous le titre *Het Achterhuis (L'Annexe)*. Après sa publication, Otto me demanda à nouveau de lire le récit d'Anne, mais je persévérai dans mon refus. Le courage me manquait.

Si la publication de *Het Achterhuis*, nom donné par Anne à la cachette, connut du succès auprès d'un grand nombre de lecteurs, beaucoup de ceux qui avaient connu le même sort l'accueillirent avec indifférence. Lire le récit d'expériences aussi douloureuses ne pouvait que raviver leurs propres souffrances. La guerre avait été trop cruelle. La population avait souffert de privations et de peines intolérables. Les gens voulaient panser leurs blessures, oublier le passé, se tourner vers l'avenir.

Néanmoins, le journal d'Anne fut réimprimé et toucha un plus large public. Otto me disait toujours : « Miep, il faut que vous le lisiez. » Mais j'en étais incapable. Je ne voulais pas revivre ce drame. Je ne voulais pas ranimer une trop grande douleur.

Jan refusa, lui aussi, de lire le journal d'Anne.

Enfin, après tant d'années de disette, la Hollande fut réapprovisionnée en vivres. Nous revîmes nos belles vaches hollandaises dans les prairies. Les trains se remirent à rouler, ainsi que les tramways d'Amsterdam. Les ruines avaient été déblayées.

Pendant l'Occupation, il y avait eu seulement deux sortes de Hollandais : ceux qui collaboraient et ceux qui résistaient. Les différences de classe, de politique, de religion avaient été balayées. Il ne restait plus que les Hollandais contre l'occupant.

Après la Libération, l'unité mit peu de temps à s'effriter. Les groupes et les partis réapparurent, avec leurs inégalités. Chacun retourna à ses coutumes, à son milieu social, à sa classe politique. Les gens avaient moins changé que je ne l'aurais cru.

Beaucoup de ceux qui s'étaient installés à la place des Juifs dans le sud d'Amsterdam, y étaient restés. Ce n'était plus le quartier juif que nous avions connu. Il avait perdu son atmosphère particulière d'avant-guerre. Il était devenu plus bourgeois. Les habitants n'y avaient plus grand-chose en commun. Rien n'y serait plus jamais comme autrefois. Amsterdam aussi avait changé, c'était devenu une ville moderne, moins accueillante, moins généreuse.

Avec trois adultes à la maison, Jan, Otto et M. Van Caspel, le travail ne manquait pas. Parfois, la fille de M. Van Caspel venait passer un week-end avec nous. Il était important à mes yeux que notre maison fût toujours bien tenue, les repas servis à l'heure. Il fallait laver, raccommoder… et être attentive à tous.

La Travies vendait à nouveau de vrais produits alimentaires. Depuis son retour, Otto Frank était redevenu l'homme au tempérament nerveux que nous avions connu avant qu'il n'entre dans la clandestinité. La transformation survenue dans la cachette, le calme empreint d'autorité dont il avait fait montre avaient disparu.

L'intérêt qu'il portait à la société semblait décliner. Depuis la publication du journal d'Anne, les lettres avaient commencé à affluer, des lettres d'enfants, d'adultes. Il répondait à chacune avec conscience. Son bureau du Prinsengracht devint l'endroit d'où il traitait les questions concernant le journal d'Anne.

Par une belle et chaude journée de 1947, j'allai à bicyclette jusqu'au Prinsengracht pour la dernière fois. Je dis tranquillement au revoir à tout le monde. J'avais prévenu que je ne désirais plus travailler dans la société. J'avais trois hommes à la maison. C'était suffisant pour occuper toutes mes journées. Je n'étais plus la jeune fille qui rêvait d'indépendance. Rien n'était plus comme avant à Amsterdam. Moi non plus.

Le second tirage du journal fut rapidement épuisé et on en mit un troisième en route. M. Frank envisageait d'autoriser la traduction du journal et sa publication à l'étranger. A nouveau, il s'était laissé convaincre de la nécessité de toucher un plus large public.

« Miep, ne cessait-il de répéter, vous devriez lire ce qu'écrivait Anne. Qui aurait jamais imaginé ce qui se passait dans cette petite tête ? » Mon refus obstiné ne le décourageait pas.

Je finis pourtant par céder à son insistance. « Je lirai le journal d'Anne, lui dis-je, mais seulement lorsque je serai seule. »

Un jour où il n'y avait personne à la maison, je m'enfermai dans ma chambre avec le second tirage du journal d'Anne.

Les jours les plus noirs

Le cœur terriblement serré, j'ouvris le livre et tournai la première page.

Et je commençai ma lecture.

Je lus le journal d'Anne d'une traite. Dès les premiers mots, il me sembla qu'elle me parlait. J'avais perdu la notion du temps. La voix d'Anne montait des pages du livre, pleine de vie, d'intelligence, avec ses joies et ses tristesses. Elle n'avait pas disparu, on ne l'avait pas détruite. Elle vivait à nouveau dans mon esprit.

Je lus jusqu'à la dernière ligne, découvrant avec stupéfaction des choses dont je ne m'étais jamais aperçu lorsque je venais leur rendre visite dans la cachette. Je remerciais le ciel de ne pas l'avoir lu après l'arrestation, durant les neuf derniers mois de l'occupation où il était resté rangé dans le tiroir de mon bureau. Je l'aurais à coup sûr brûlé, à cause du danger qu'il représentait pour ceux qu'Anne y citait.

En refermant le livre, je ne ressentais pas le chagrin que j'avais craint d'éprouver. J'étais heureuse de l'avoir enfin lu. Le vide dans mon cœur s'était comblé. Nous avions beaucoup perdu, mais la voix d'Anne resterait à jamais présente. Ma jeune amie avait laissé au monde un témoignage inoubliable.

Mais toujours, chaque jour de ma vie, j'ai regretté que les choses ne se soient pas passées autrement, qu'Anne et les autres n'aient pu être sauvés — le monde y eut-il perdu le journal d'Anne.

Il n'est pas de jour où je ne les pleure.

Épilogue

En 1948, la reine Wilhelmine abdiqua en faveur de sa fille Juliana. Un demi-siècle de règne prenait fin. Jan gagna à la loterie cette année-là, et nous pûmes prendre de courtes vacances à Grindelwald, en Suisse. Otto Frank nous y accompagna. Pour la première fois depuis le début de la guerre, il revit sa vieille mère à Bâle. Les maux de tête de Jan avaient commencé à s'atténuer depuis un certain temps. Ils cessèrent définitivement pendant nos vacances.

Traduit en anglais, publié aux États-Unis et ailleurs, le journal d'Anne connut rapidement un succès considérable. D'autres traductions parurent. Partout dans le monde, les gens apprirent l'histoire d'Anne Frank. Une pièce de théâtre fut tirée du journal et connut un véritable triomphe. La première représentation eut lieu le 27 novembre 1956 à Amsterdam. Elli et son mari, Jo Koophuis et sa femme, Jan et moi, y fûmes invités. Victor Kraler avait émigré au Canada l'année précédente. Voir cette pièce fut, pour moi, une expérience très étrange. Je ne pouvais m'empêcher d'attendre que mes amis viennent en chair et en os sur la scène et non des acteurs et des actrices.

On réalisa ensuite un film. La première projection eut lieu au théâtre municipal d' Amsterdam, le 16 avril 1959. A nouveau, nous fûmes tous invités. La reine Juliana et sa fille, la princesse Beatrix y assistaient. Mme Koophuis, Elli et moi leur fûmes présentées. Autant que je le sache, Otto Frank ne vit jamais la pièce ni le film. Il ne voulait pas les voir.

Le journal d'Anne souleva un grand intérêt dans le monde entier. Après la guerre, M. Frank n'avait pas repris la direction de la Travies. La plus grande partie de son temps était consacrée au journal de sa fille. Lorsque la société déménagea, M. Frank se retira de l'affaire. M. Koophuis en resta le directeur jusqu' à sa mort, en 1959. M. Kraler vécut au Canada, où il mourut en 1981. Mariée et mère de famille, Elli préféra tirer un trait sur les années de sa jeunesse qu'elle avait passées à la Travies. Les souvenirs s'estompaient. Elle se voua totalement à sa vie de mère et d'épouse. Elle mourut en 1983.

Libéré de ses responsabilités à la Travies, Otto Frank donna tout son temps au journal. Anne était devenue célèbre dans le monde entier. Alors que M. Frank et tout ce qui touchait Anne de près acquéraient une notoriété chaque jour grandissante, Jan et moi choisîmes de rester en retrait. Nous n'aimions pas faire l'objet d'une attention particulière. Nous préférions l'anonymat.

Puis en 1949, survint un événement capital. A l'âge

de quarante ans, je devins enceinte. Le 13 juillet 1950, naquit notre fils Paul. Notre foyer comprenait maintenant Otto, M. Van Caspel, Jan et moi, et notre petit Paul.

Mme Samson, notre ancienne logeuse, vint me rendre visite à l'hôpital où j'avais accouché. Son mari était revenu d'Angleterre.

Au cours de l'année 1950, à Amsterdam, les choses redevinrent normales. Le ravitaillement ne posait plus de problème, mais je ne pus jamais désormais jeter de la nourriture. Je trouvais une utilité à la moindre pomme de terre, quitte à la donner aux oiseaux si elle était pourrie. On voyait parfois un touriste allemand se promener le long des canaux avec sa femme ou sa fiancée. « J'étais en garnison ici pendant la guerre », lui disait-il.

A l'automne 1952, après avoir passé sept années avec nous, Otto Frank émigra en Suisse et alla vivre aux côtés de sa mère. Il se remaria à Amsterdam en novembre 1953, et emmena sa nouvelle épouse à Bâle. Elle avait connu un sort similaire au sien. Déportée à Auschwitz, elle avait perdu toute sa famille à l'exception d'une fille. C'était une femme exceptionnelle. Ils avaient beaucoup en commun et vécurent en harmonie jusqu'à la mort d'Otto en 1980. Pas une seule fois, M. Frank n'oublia de nous téléphoner le 16 juillet, jour de notre anniversaire de mariage.

Il ne se passe pas de jour où je ne pense aux événements qui ont bouleversé ma vie, mais il en est deux qui me sont particulièrement pénibles : Le 4 mai et le 4 août. Le 4 mai est jour de deuil national en

Hollande. Beaucoup de gens se rendent à l'église, y compris la reine. On dépose des fleurs aux différents endroits où des résistants hollandais furent exécutés. Sur le Dam a lieu une cérémonie du souvenir. La reine et son mari déposent une couronne devant le monument national. A huit heures du matin précises, les réverbères sont allumés. Les trains, les tramways, les voitures, les bicyclettes s'arrêtent. Les gens se tiennent immobiles. On joue des hymnes funéraires, puis l'hymne national néerlandais. Les drapeaux restent en berne. Chacun garde le silence.

L'autre date tragique est le 4 août, l'anniversaire de l'arrestation des Frank. Jan et moi restons à la maison. Nous faisons comme si ce jour-là n'existait pas. Je me tiens à la fenêtre et Jan tourne délibérément le dos à l'extérieur. Nous ne regardons pas l'heure. Quand nous sentons que la journée s'est écoulée, vers cinq heures, un sentiment de soulagement nous envahit à l'idée que ce jour-là est terminé.

En 1948, la police néerlandaise procéda à une enquête sur les causes de l'arrestation de nos amis clandestins. Selon les rapports de police, quelqu'un les *avait* dénoncés. Aucun nom n'était cité dans le rapport. Il était dit seulement qu'une personne avait reçu 7,5 florins par Juif, un total de 60 florins. Nous avions la certitude que nos amis avaient été trahis. Certains avaient des soupçons. Mais Jan et moi ne savions rien. M. Frank était le seul qui aurait pu faire quelque chose. Il choisit de s'abstenir.

Une autre enquête eut lieu en 1963, après que le journal eut atteint une renommée internationale. Tout le monde réclamait le châtiment de celui qui avait dénoncé nos amis.

La police me téléphona pour m'interroger à propos de l'arrestation du 4 août 1944. Ce fut un moment terrible quand le policier me dit au téléphone : « Vous êtes l'une des personnes suspectes, Mme Gies, à cause de votre origine autrichienne. »

Je lui répondis que j'étais prête à le recevoir.

Le policier vint nous voir à la maison et nous le reçûmes ensemble, Jan et moi. Il faisait froid, ce jour-là, et nous avions allumé un feu de charbon. Le feu vint à baisser, et Jan alla chercher de quoi l'alimenter.

Dès qu'il fut hors de la pièce, le policier s'approcha de moi : « Nous ne voulons pas créer de dissensions dans votre ménage, Mme Gies, dit-il. Voulez-vous avoir l'amabilité de passer nous voir demain à neuf heures. Seule. »

Je dus le regarder d'un air stupéfait, car il ajouta : « M. Van Matto nous a déclaré dans sa déposition que vous aviez eu des... comment dire... des relations...intimes avec un homme haut placé dans la Gestapo, ainsi qu' avec M. Koophuis. »

Je devins blême. Je sentis ma tension monter. « Je ne répondrai pas, répondis-je. Lorsque mon mari sera de retour, voulez-vous lui répéter exactement ces accusations. »

Je vis qu'il n'était pas à son aise. Nous nous assîmes

chacun à un bout de la pièce. Jan revint avec le charbon et rechargea le feu. Puis le policier lui répéta mot pour mot ce qu'il venait de me dire : « M. Van Matto nous a déclaré dans sa déposition que votre femme avait eu des relations intimes avec un personnage haut placé de la Gestapo, ainsi qu'avec M. Koophuis. qu'en pensez-vous ? »

Jan se tourna vers moi. « Je te tire mon chapeau, Miep. Je me demande quand tu as pu avoir toutes ces "relations intimes". Le matin, nous partions ensemble à notre travail. Je venais tous les jours déjeuner avec toi à ton bureau. Et tu n'as jamais passé une soirée sans moi... »

Le policier l'interrompit. « Très bien, ça suffit. »

« Pensez-vous que Frits van Matto puisse être le délateur de vos amis ? » me demanda-t-il ensuite.

J'étais convaincue que non.

Il me dit que d'autres personnes soupçonnaient Van Matto, qu' Anne elle-même avait écrit dans son journal que les huit reclus se montraient très méfiants à son égard.

Je lui répétai que je ne le croyais pas coupable.

Quelques semaines plus tard, le même policier m'annonça qu'il comptait se rendre à Vienne, pour y rencontrer Silberbauer l'officier autrichien, et lui demander s'il se souvenait de la personne qui avait trahi les Frank. « Par la même occasion, je lui demanderai pourquoi il ne vous a pas arrêtée alors qu'il envoyait les autres dans les camps.

— Bon, lui dis-je, à votre retour, j'aimerais bien savoir ce qu'il vous aura dit. »

Épilogue

A son retour de Vienne, il revint me voir. Lorsqu'il lui avait demandé pourquoi il m'avait laissée libre, Silberbauer avait répondu : « Elle était si charmante ! » Quant au délateur, il lui avait dit : « Je ne m'en souviens plus. Il y en avait tant à cette époque. »

Silberbauer était devenu policier à Vienne. A cause de ses activités nazies, il avait été suspendu de ses fonctions pendant un an. L'année avait passé et on l'avait réintégré dans la police.

Au cours d'un nouvel interrogatoire, le policier avait rapporté à Frits van Matto, qui demeurait le suspect numéro un malgré l'absence de preuves, que j'avais déclaré être convaincue de son innocence, malgré les choses désagréables qu'il avait racontées à mon sujet.

Le policier me demanda pourquoi je persistais dans cette idée. Je lui dis pourquoi j'en étais convaincue : l'un des employés de notre société m'avait confié, pendant la guerre, que Van Matto cachait son propre fils à son domicile. J'avais gardé le secret. Jan, M. Frank, et moi en avions conclu qu'en dépit de sa personnalité déplaisante, Van Matto n'était pas l'homme qui avait trahi nos amis.

M. Frank refusa qu'on engageât un procès sur cette affaire. « Je ne veux pas le savoir », dit-il simplement. Si Van Matto restait le suspect principal pour certains, d'autres soupçonnèrent des membres du NSB qui vivaient dans l'arrière-cour et pouvaient avoir aperçu des signes de vie derrière les rideaux blancs. C'était peut-être, comme Anne l'avait craint, un des cambrioleurs qui étaient entrés par effraction dans les bureaux. Toutes sortes d'hypothèses furent émises, y compris les plus invraisemblables, mais il n'y eut jamais aucune preuve. Je reste persuadée que si la police avait tenu une preuve, elle aurait arrêté le coupable.

Plus tard, le même policier hollandais me raconta qu'il avait mentionné à M. Frank que l'on m'avait soupçonnée. Otto Frank lui avait simplement répliqué : « Autant me soupçonner moi-même. »

Table des matières

Aubin Imprimeur
LIGUGÉ, POITIERS

Achevé d'imprimer le 31 mars 1987
N° d'édition 11261/01 / N° d'impression L 23163
Dépôt légal, mars 1987
Imprimé en France